Donation Picasso

La collection personnelle de Picasso

Picasso dans l'atelier du 23 rue La Boétie, par Brassaï, en 1932. On y voit le *Portrait de femme* du Douanier Rousseau (nº 33).

Donation Picasso

La collection personnelle de Picasso

Ministère de la Culture et de la Communication
Editions de la Réunion des musées nationaux

En couverture :
Henri Matisse. *Corbeille d'oranges*. (Cat. 21).

Cette exposition a été réalisée par la Direction des Musées de France
et la Réunion des musées nationaux
avec le concours des services techniques du musée du Louvre.

ISBN 2.7118.0086.5

Commissariat :
Sylvie Béguin
Conservateur au Département des Peintures

avec la collaboration d'Isabelle Lemaistre
Conservateur stagiaire des Musées

Catalogue rédigé par :
Sylvie Béguin   (S.B.)
Jean-Pierre Cuzin   (J.P.C.)
Anne Distel   (A.D.)
Marie-Thérèse de Forges   (M.T.F.)
Isabelle Lemaistre   (I.L.)
Geneviève Monnier   (G.M.)
Claudie Ressort   (C.R.)
Pierre Rosenberg   (P.R.)
Arlette Sérullaz   (A.S.)
Maurice Sérullaz   (M.S.)

**L'Atelier de Picasso 23 rue La Boétie, par Brassaï,
en 1932,** avec le tableau du Douanier Rousseau :
*Les Représentants des Puissances étrangères
venant saluer la République en signe de paix* (n° 36).

Préface

Le Louvre avait déjà accueilli Picasso de son vivant et à deux reprises : officieusement d'abord, Georges Salles lui avait un jour offert certaines cimaises, pour leur seul commun plaisir de voir figurer plusieurs œuvres du peintre à côté des plus grands chefs-d'œuvre de la peinture de tous les temps ; officiellement ensuite, à l'occasion du quatre-vingt-dixième anniversaire de l'artiste, les plus célèbres des toiles conservées par l'Etat avaient été exposées, pendant une dizaine de jours, dans la « Tribune » de la Grande Galerie.

Cinq ans après sa mort, le voici à nouveau au milieu de nous, non plus — cette fois — en personne mais par l'entremise de certaines des peintures qu'il a aimées.

Désireux d'accomplir une volonté souvent exprimée par Picasso, Mme Jacqueline Picasso et Paolo Picasso, le fils du peintre, aujourd'hui décédé, avaient fait don à l'Etat de la collection de l'artiste.

Aujourd'hui confirmée par l'ensemble des héritiers, cette donation prend valeur de symbole :

— symbole de la générosité, et du peintre et de ceux de ses héritiers qui se sont appliqués à exécuter ses dernières volontés en acceptant que la contre-valeur de cette donation soit imputée sur leur part successorale : essentiellement Mme Jacqueline Picasso, Mme Marina Picasso, M. Bernard Picasso ;

— symbole aussi de l'hommage rendu par Picasso à ceux qu'il considérait comme ses amis, présents ou passés ;

— symbole enfin de la vocation même du Louvre qui accueillera un jour, non plus seulement ses amis mais Picasso lui-même dont la puissance et le génie n'ont pas fini d'émerveiller, de scandaliser et de séduire.

Le Ministre de l'Economie et des Finances a par ailleurs accepté que cette donation soit exemptée des droits de mutation en application de la loi du 31 décembre 1968, dont l'intérêt pour nos musées n'est plus à démontrer.

Indépendamment même de son origine, l'ensemble ainsi donné est prestigieux et l'enrichissement qu'il apporte aux collections nationales est capital. Tâche merveilleuse que celle qui consiste à remercier tous ceux qui ont permis une telle réalisation et, avant tout autre, bien sûr, Picasso lui-même.

Hubert Landais
Directeur des Musées de France

Dans l'atelier, rue des Grands-Augustins, en 1943, par Brassaï, avec : la nature morte aux oranges de Matisse (*La corbeille d'oranges* nº 21) et *le parc Montsouris* du Douanier Rousseau (cf. Dora Vallier, *Tout l'œuvre peint d'Henri Rousseau*, 1970, nº 73, New York, collection particulière). Cette photographie est inédite.

Introduction

Quelques grands peintres furent aussi de véritables collectionneurs, pour eux-mêmes, de manière fastueuse comme Rubens, secrète comme Degas, ou pour les princes qu'ils servaient. Le musée du Prado, qui consacre la gloire de la peinture européenne, doit beaucoup à la sagacité de Velazquez et Mi Fou, le fameux maître chinois de la période Song, expert lui-même au jugement infaillible, ne se déplaçait jamais sans ses propres trésors, veillés avec des soins fervents, montrés à de rares connaisseurs.

Picasso n'avait guère le tempérament à suivre les ventes et courir les antiquaires pour constituer ce qu'on appelle une collection, avec ce que cela comporte de manie obsessionnelle, de distinction sociale et de goût esthétique. Rien n'entrait en sa possession qui ne vint des rencontres ou des circonstances et non d'un choix délibéré. Les tableaux et dessins réunis ou plutôt accueillis durant une longue existence au cours de laquelle le démiurge du siècle avait aussi les moyens fabuleux de recréer, s'il eût voulu, la caverne des *Mille et une nuits* que d'aucuns s'attendaient à découvrir après sa mort, ressortissent à d'autres critères que ceux des amateurs, dévoilent et condensent les liens d'un peintre avec les peintres et avec la peinture. C'est dans cet esprit qu'il convient de les voir. Malraux qui d'emblée en avait saisi l'importance et soutenu le principe de leur donation globale au Louvre, indique ainsi leur caractère : «ils me font penser aux meubles que nous conservons après plusieurs déménagements, les uns parce que nous les aimons ou en mémoire des amis qui nous les ont donnés, les autres parce qu'ils se sont trouvés là.»

Les familiers de Picasso savent en effet quelle place à la fois tenace et changeante ces œuvres occupaient dans ses diverses demeures et la façon inoubliable dont il aimait, quand l'occasion s'offrait, les présenter. Lors de ma première visite à l'atelier des Grands-Augustins, en septembre 1944, avant même de me conduire vers ses toiles récentes destinées au Salon d'Automne de la Libération, il m'arrêta devant la *Corbeille d'oranges* de Matisse qu'il venait d'acquérir et qu'il était si fier de faire admirer. «C'est ma-gni-fi-que !» s'exclamait-il, en conférant à ce mot qu'il goûtait fort sa vaste résonance, comme pour l'accorder à l'étendue audacieuse des couleurs sur la toile et à leur pleine harmonie. Rescapé d'une grave maladie, Matisse apparaissait alors l'incarnation de la France, *Matisse-en-France*, avait écrit Aragon. Il pleura d'émotion en apprenant que cette resplendissante nature morte de 1912, qu'il jugeait une des meilleures de son œuvre avec celle de Grenoble en 1906, appartenait à Picasso. Celui-ci la remit en évidence à Vauvenargues et à Mougins et la regardait souvent en ses dernières années, suprême hommage de l'indomptable lutteur à l'inexhaustible rival ayant, selon ses propres mots, «un soleil dans le ventre». C'est grâce à Picasso que j'ai connu Matisse et vérifié, jusqu'à la fin, l'estime qu'ils se portaient, l'émulation qui régnait entre eux. Toute la peinture durant un demi-siècle a été l'affrontement de ces deux pôles, frappant de maniérisme les épigones. Des trente-huit tableaux de la donation Picasso, sept représentent Matisse : trois études révélatrices des débuts, avant l'explosion fauve, le chef-d'œuvre marocain déjà cité, deux toiles simplifiées et radieuses, figure à robe persane et nature morte aux huîtres, de 1942 et 1943, avant les découpages, et dans son intensité plane, le portrait syncopé de *Marguerite*, en 1907, au nez légèrement rabattu, peinture-clé, sous son modeste format, du tournant décisif qu'opèrent en interaction, cette année-là, Picasso, Matisse et Derain. Elle resta visible à l'atelier du boulevard de Clichy de l'automne 1909 à l'automne 1912, au moment où Braque avait rejoint Picasso pour réaliser l'extraordinaire symbiose d'où le cubisme est issu.

La nature morte à la bouteille de Braque, treillis pyramidal, facettes ouvertes, touches pommelées, reflète, en 1911, la période d'ardente concentration où les deux partenaires se lient entre eux «comme la cordée en montagne». La seconde toile de Braque est une de ces natures mortes au format allongé, *Théière et pommes* (1942), qui durant la réclusion de la guerre se soumettent à l'humble teneur des choses et en révèlent la gravité domestique.

Rien de Gris et de Léger qui ne participent pas à la phase analytique du cubisme mais un des joyaux de Derain, en 1914, quand l'ancien coéquipier de Vlaminck et de Matisse, catalyseur exceptionnel, se trouve en Avignon près de Braque et de Picasso : buste de jeune fille pensive, à la grâce médiévale, taillée en méplats sur des frottis transparents. Lorsque je m'occupai de la rétrospective Derain à Londres, en 1967, le manège que Picasso mena devant ce tableau tour à tour émergeant et disparaissant, avant de consentir enfin à le prêter, en disait long sur ses relations passionnelles avec l'auteur. De Modigliani, son voisin à Montmartre et ensuite à Montparnasse, qui fit trois fois son portrait, subsiste une des figures féminines aux flexions étirées que l'on pouvait voir à Boisgeloup parmi les sculptures géantes. Durant la guerre, manquant de toile, il aurait repeint, dit-on, sur un des nus du virtuose italien, comme Raphaël sur Botticelli. Le peintre d'origine hollandaise Kees Van Dongen s'installe au Bateau-Lavoir à la fin de 1905 et se lie aussitôt avec Picasso qui, quelques mois auparavant, avait fait un séjour aux Pays-Bas, dans la région des dunes. *La vigne*, toile de facture hardie brossée à Fleury-en-Bière en été 1904, combine la douce lumière de Beauce au ras des verdures et le moutonnement immense d'un ciel nordique. Réfractaire à la peinture de Bonnard, Picasso n'était pas insensible au charme intimiste de Vuillard, comme en témoigne le panneau nabi de *La berceuse*, aux lignes aiguës sur des teintes feutrées. L'absence de Klee est un regret ; Picasso l'admirait et lui rendit visite à Berne en octobre 1938.

Des aînés de la génération impressionniste, hors Degas et ses monotypes, deux peintres seulement ont été retenus, Cézanne et Renoir. Gertrude et Leo Stein s'attachaient à collectionner d'abord ceux qu'ils nommaient les quatre grands : Cézanne et Renoir, Matisse et Picasso. Tous les peintres contemporains, Fauves, Cubistes, pionniers de l'abstraction ont reconnu leur dette envers Cézanne, salué comme un nouveau Giotto. Les trois Cézanne de Picasso, qui suffiraient au prestige d'un musée, *Estaque, Baigneuses, Château Noir*, illustrent trois moments et trois thèmes essentiels. Le plus émouvant est *Le Château Noir*, où la couleur ultime monte et s'embrase. Monet, paysagiste extasié, gardait dans sa chambre une version très proche, de mêmes dimensions, maintenant au Musée d'art moderne de New York. Matisse, hanté par la figure, prenait appui sur sa composition des *Baigneuses*, à trois personnages au lieu de cinq sur celle de Picasso, qu'il avait achetée à crédit dans sa jeunesse impécunieuse et qu'il offrit plus tard au Musée de la Ville de Paris. Braque, dont le royaume est la nature morte, avait de Cézanne un *Bouquet de pivoines au pot vert*, où de grands espaces blancs laissés en réserve séparent les fleurs épanouies de leur vase nourricier. «Chez Cézanne, disait-il, il y a la fleur... et la racine, et ce qui compte, ajoutait-il en désignant le vide magnifié, c'est le chemin de l'une à l'autre.» Picasso non seulement aura vécu sa longue vie dans l'exaltation de Cézanne, mais son sublime mausolée a été dressé par Jacqueline sur le perron de Vauvenargues, à flanc de Sainte-Victoire, la montagne de Cézanne et du terroir aixois.

Résultats d'échanges avec Vollard, les six Renoir variés et de haute qualité, paysage, nature morte, portrait, emblèmes mythologiques, Baigneuse à mi-corps et Baigneuse en entier relèvent de la période finale où forme amplifiée et lumière rayonnante s'unissent dans un accomplissement monumental. C'est surtout à son retour d'Italie et au lendemain de la guerre que Picasso subit, conjuguée à celle d'Ingres, l'influence généreuse de Renoir et retrouve, à travers eux, la noblesse et la grandeur de l'antique. A l'ensemble imposant des peintures s'ajoutent, de valeur autonome et non moins moindre, une précieuse aquarelle de Cézanne, par plans vibrants et géométrisés annonciateurs du cubisme et la sanguine superbe de Renoir, aux courbes pulpeuses, que Picasso transposera dans sa manière classique de Fontainebleau. Les monotypes hallucinés de Degas, à l'encre noire rehaussés parfois de pastel, qui servirent à illustrer *La Maison Tellier* de Guy de Maupassant et *Mimes de courtisanes* de Pierre Louÿs surgirent brusquement à Mougins au printemps 1971 quand Picasso se mit à graver à son tour avec un entrain effréné des scènes de lupanar où Degas lui-même est présent, strictement vêtu, parmi les filles nues, comme voyeur ou comme dessinateur. D'autres scènes affriolantes ont pour témoins Raphaël ou Michel-Ange. Cette liberté dont use Picasso vis-à-vis des peintres traités d'égal à égal traduit sans doute son humour mais aussi son culte éperdu de la peinture restituée à la vie et au flux perpétuel de la création.

Les quatre toiles du Douanier Rousseau tiennent une place à part dans son cœur et dans sa collection. Le grand *Portrait de femme* qu'un brocanteur lui céda pour 5 francs présidait au fameux banquet en l'honneur du Douanier donné dans son atelier du Bateau-Lavoir en novembre 1908. Picasso et ses amis découvraient alors en même temps et avec une égale fascination la naïveté géniale du dernier imagier populaire et la magie primitive des masques nègres. La composition historique nommée en abrégé *Les Souverains*, miracle de candeur et prouesse de métier, où les drapeaux aux couleurs fauves animent les murs gris du Paris romantique, où la ronde foraine jouxte la parade officielle, a pour titre complet : *Les représentants des puissances étrangères venant saluer la République en signe de paix* et a été peinte avec le sérieux d'une commande d'Etat. Picasso, pour en préserver la saveur, la sortait rarement, mais Hélène Parmelin, sa confidente, rapporte avec quelle « admiration attendrie » il la regardait, « en riant avec amitié » de tous les souvenirs qu'elle évoquait. Les deux petits portraits en pendant du peintre et de sa femme, où la lampe est le symbole du foyer, étaient épinglés comme des talismans sur les murs à la chaux du mas de Vallauris, dans la chambre banale au lit de fer.

On eût souhaité quelque Van Gogh provençal près du Gauguin martiniquais mais pour Picasso qui vit naître sa légende sacrée, Vincent était moins un peintre que le semeur de lumière et la torche de l'art moderne. Sa donation de dessins à la Ville d'Arles a été faite en souvenir du chantre des tournesols et de l'humaine fraternité.

Picasso suivait avec beaucoup d'attention la démarche des peintres venant après lui, mais deux d'entre eux surtout le passionnaient, son compatriote Miró, créateur d'un système de signes indépendants des siens et l'inclassable Balthus, qui, dans son exil inquiet, s'acharne à ressaisir les secrets perdus et la dignité transfiguratrice de la matière. Le portrait de Miró par Balthus, désormais à New York, contemporain de la toile ici présente, *Les Enfants* (1937) et d'un vérisme non moins intransigeant que les deux portraits par Miró passés aux mains de Picasso, révèle aussi l'amitié nouée entre les deux peintres consacrés par leur glorieux aîné. Il manque Giacometti, sans réserve estimé par chacun des trois, que Picasso voyait chaque jour à Paris durant les premiers mois de l'occupation.

Les tableaux plus anciens et de valeur inégale troqués pour la plupart chez les marchands avec lesquels il était en relations de travail, Vollard, Kahnweiler, Rosenberg, ne sauraient être le florilège qu'est davantage sa collection de masques nègres ni, bien entendu, le musée imaginaire où s'inscriraient toutes les formes qu'il a ressuscitées et avec lesquelles il s'est mesuré, dans un dialogue ou un combat incessants, mais l'orientation qu'ils proposent est extrêmement significative. Ce sont les jalons de la tradition française, en sa noblesse terrienne ou artisanale et dans le courant profond de la réalité : Le Nain, Chardin, Corot, Courbet. Si certains sur lesquels les notices du catalogue font le point semblent être des œuvres d'école ou d'atelier, il n'importe pour un peintre qui pénètre au-delà des traces matérielles. Le petit Watteau que Delacroix dans son *Journal* mentionne avec ferveur comme sa référence absolue était une copie mais le schème originel persistait à ses yeux sous l'empreinte fidèle. Les peintres précèdent souvent les historiens et critiques dans la résurgence du passé. Picasso possédait ses deux Le Nain avant le rassemblement mémorable de 1934 où ils figurèrent et Cézanne avait déjà remarqué celui du musée d'Aix, ignoré des érudits. Cézanne et Braque prolongent l'héritage des frères Le Nain tirés de l'oubli par Champfleury, l'ami de Courbet. Courbet est le peintre-peintre vénéré par les peintres et sa *Tête de chamois*, même de rang mineur, obsédait Picasso par ses cornes fantastiques et son œil implorant. Avec son carré central de chair rouge et sa sourde luminescence le Chardin, d'exécution secondaire, est comme un étrange Goya. Méconnus de son vivant, les tableaux à figures de Corot, dont deux beaux exemplaires sont ici, l'un de jeunesse, l'autre de la maturité, firent leur apparition au Salon d'Automne de 1909 et exercèrent sur Braque et sur Picasso la même emprise que sur Manet et Cézanne les natures mortes de Chardin entrées au Louvre en 1869 avec la Donation La Caze. Avec son faisceau de chefs-d'œuvre et un accompagnement disparate mais passionnant, la collection de Picasso resté si profondément espagnol rend à l'intérieur du Louvre dont il fut tour à tour l'explorateur et le concurrent, un extraordinaire tribut à la·peinture française en sa plus pure essence. Celle-ci se renouvelle de génération en génération en tournant sur des orbes dont nous éprouvons le rythme permanent.

Jean Leymarie

Nous tenons à remercier
tous ceux qui nous ont aidés
dans notre travail
et tout particulièrement :

J.-P. Babelon
H. Baby
D. Bozo
Brassaï
M. Busquets
M. Covo, Galerie Renou et Poyet
M. Duthuit
I. Fontaine
M. Hours
Institut Culturel Suisse
M. Jardot
I. Julia
M. Kauffmann
M. et Mme C. Laurens
E. Magnien
N. Mangin de Romilly
N. Pouillon
J. Rewald
M. Richet
A. Rosenberg
M.-C. Sahut
P. Schneider
A. Salomon
M. le Syndic d'Ollon
D. Vallier,
D. Van Dongen

Peintures

Balthus (Balthazar Klossowski de Rola, dit)

Paris, 1908

1 Les enfants

Toile ; H. 1,25 ; L. 1,30.
Inscription de la main du peintre et signature au dos de la toile, vers le haut ; à gauche : *Les enfants —
Hubert et Thérèse Blanchard* ; à droite : *Balthus 1937.*

L'admiration de Picasso pour la peinture de Balthus est notée de divers côtés (James Thrall Soby, préface au catalogue de l'exposition de New York, 1956, p. 6 ; Bernier, 1956, p. 29 ; Gilot-Lake, 1965, p. 259) ; l'illustre mieux que tout l'achat par le peintre à la Galerie Renou et Colle, rue du Faubourg-Saint-Honoré, en octobre 1941, de cette toile, une des plus importantes du jeune Balthus. André Malraux mentionne (1974, p. 14) dans l'atelier de Picasso, rue des Grands-Augustins, « une *impasse* onirique et architecturale de Balthus », confondue plus loin (p. 20) avec *Les enfants*. Erreur de mémoire de l'écrivain, alors bien significative concernant l'auteur du *Passage du Commerce* ? Y aurait-il eu un second Balthus dans la collection du peintre ?

Les deux petits modèles, Hubert et Thérèse Blanchard, étaient les voisins de Balthus et habitaient près de son atelier de la Cour de Rohan. Thérèse posa à d'autres reprises pour lui, notamment pour trois tableaux en 1938 : *Thérèse et son chat* (dit aussi *Le rêve* ou *Thérèse rêvant* ; U.S.A., coll. part.), *Thérèse* (New York, coll. Allan D. Emil) et encore *Thérèse* (Paris, coll. Pierre Bérès).

L'organisation d'ensemble du tableau doit être rapprochée de celle d'un des quatorze dessins à la plume exécutés par Balthus en 1933 pour illustrer les *Wuthering Heights* d'Emily Brontë (coll. Mme Duchamp, France ; exposés à New York, Pierre Matisse Gallery, en mars-avril 1939 ; Londres, 1968, exposition « Balthus », n° 62 ; reproduits dans *Minotaure*, n° 7, juin 1935 : voir le catalogue de l'exposition « Hommage à Tériade », Paris, 1973, fig. 36, p. 34). Ce dessin, qui représente Heathcliff et Cathy enfants, au début du roman, est titré « ... *Because Cathy taught him what she learnt...* ». L'essentiel de la mise en place est repris dans *Les enfants* ; mais tout dans l'illustration à la plume, élasticité de chat de personnages prêts à bondir, visages rongés d'inquiétude, contraste avec l'apaisement de la grande toile. On pourra retrouver dans les tableaux postérieurs de Balthus maints échos des attitudes des personnages : celle de Thérèse reviendra, toute proche, dans les deux versions du *Salon* (1942, New York, coll. part. ; 1941-43, The Minneapolis Institute of Arts), et se métamorphosera bien plus tard dans l'élongation serpentine de certaines toiles de Rome (*Figure japonaise à la table rouge*, 1967-76, New York, Pierre Matisse Gallery). La pose d'Hubert, accoudé, un genou sur une chaise, se retrouve, voisine, dans les *Joueurs de cartes* de 1948-50 (Grande-Bretagne, coll. part.) et dans ceux de 1966-73 (Rotterdam, musée Boymans Van Beuningen).

Le tableau, rarement exposé (New York, 1949, n° 8 [daté par erreur 1935] ; New York, 1956, n° 6) reste peu connu. James Thrall Soby (1956, p. 6-7) remarque qu'il constitue « un des premiers parmi les nombreux tableaux représentant des adolescents absorbés dans le travail, la rêverie ou le jeu ». Yves Bonnefoy, qui mieux que personne a parlé de Balthus (1959, p. 51-74), mentionne *Les enfants*, avec le *Portrait de Derain* (1936, New York, M.O.M.A.), comme représentant bien chez l'artiste, à partir de 1935, « le début d'un art plus stable », après les toiles violentes, brusques, troublantes, peintes autour de 1933, et comme témoignant d'une « force de contrôle », d'une « domination des réactions instinctives ou affectives ». Et l'on tenterait, pour expliquer cet attachement nouveau à un art mesuré et proche du réel, d'évoquer le rôle de Derain ou l'impression produite, peut-être, en 1934, par l'exposition des « Peintres de la Réalité ». Or cette peinture n'est qu'en apparence rassurante, qui appelle David, mais plutôt l'auteur des *Dames de Gand* ; Courbet, mais celui, lointain et tendu, de *Juliette*. De cet art « de tant de réserve », de ce pas trompeur vers l'imitation de la réalité, le double portrait d'Hubert et Thérèse Blanchard offre un des plus ambigus exemples, qui « dérange » tout autant que tel ou tel autre chef-d'œuvre de la même année 1937, *La victime* (coll. part.) ou *La montagne* (New York, coll. part.). Devant une coulisse, les enfants se profilent, la petite fille et son livre, le petit garçon, sa chaise et la table, opposés, étrangers, le visage fermé, comme assoupi. L'organisation orthogonale d'un format presque carré, la mise en perspective, la rythmie des corps pliés et appuyés obligent à mentionner Piero della Francesca que Balthus, tout jeune, copia ; mais un Piero capable d'ombre. Tableau sans couleur, dans le souvenir : gris bleutés et gris ocrés, dans une matière âpre et douce, longuement nourrie, qui est elle-même lumière. Hautainement détachés de l'instant par ce métier sensuel et austère, « un métier inactuel assumé comme une solitude » (Bonnefoy, 1959, p. 64), *Les enfants* de Balthus disent les pouvoirs, et la leçon, de la seule peinture.

J.P.C.

Georges Braque

Argenteuil, 1882 - Paris, 1963

2   Nature morte à la bouteille

Toile ; H. 0,55 ; L. 0,46.

Ce tableau, resté très peu connu (il ne figure, semble-t-il, dans aucune monographie consacrée à Braque), peut être daté avec sûreté de la fin de 1910 ou de 1911, tant il offre d'analogies avec les toiles de cette période : notamment une autre *Bouteille* (Bâle, coll. part.) et *Le guéridon* (Paris, Centre Georges Pompidou, Musée National d'Art Moderne).

On peut supposer que Picasso posséda la toile depuis le moment où elle fut peinte (cadeau, échange ?) ; elle illustre particulièrement bien la communauté de recherches des deux peintres qui élaborèrent ensemble, dans les années 1910-1911, le cubisme «analytique», et leur amitié, qu'illustrent bien les phrases de Braque : «... nous nous voyions tous les jours, nous parlions. On s'est dit avec Picasso pendant ces années-là des choses que personne ne se dira plus... que personne ne saurait plus comprendre..., et qui nous ont donné tant de joie... C'était un peu comme la cordée en montagne» (cité par Jean Leymarie, *Braque*, Genève, 1961, p. 41, d'après Dora Vallier, in *Cahiers d'art*, n° 1, 1954). Malraux, à Mougins avec Jacqueline Picasso, parle du tableau comme d'«une toile magistrale de l'époque du cubisme analytique, presque blonde... Je regarde la toile blonde. Le cubisme analytique cherchait l'autre. Un faîte aigu ordonne la «composition», encadre des facettes comme pour rivaliser avec la *Tête* de Penrose, triangle de bandes colorées. Ce Braque date des mois où les deux camarades peignaient ensemble. Il pourrait être un Picasso très séduisant» (1974, p. 16). Puis, après avoir évoqué les désaccords qui suivirent : «... Jacqueline, qui me voit devant le tableau, dit : «Pablo aimait bien celui-là. Mais il trouvait que Braque n'aimait pas la bagarre... Ce qu'ils ont pu s'engueuler !». Je sais. Il en reste ce tableau fraternel, que Picasso aurait pu signer...» (pp. 19-20).

J.P.C.

Georges Braque

Argenteuil, 1882 - Paris, 1963

3   Théière et pommes

Toile ; H. 0,26 ; L. 0,65.
Signé en bas à gauche : *G. Braque*.

En 1944, lors d'une des visites qu'il rendait à Picasso dans son atelier de la rue des Augustins, Braque dit son admiration pour un tableau récent : Picasso lui offrit la toile, une *Femme couchée* (toile ; H. 0,38 ; L. 0,46 ; datée du 21 avril 1944 ; auj. Paris, collection de M. et Mme Claude Laurens ; Zervos, vol. 13 (1962), n° 304, pl. 146, avec de fausses dimensions). On reconnaît ce tableau sur une célèbre photographie de Brassaï qui réunit autour de Picasso, dans son atelier, notamment Camus, Reverdy, Lacan, Valentine Hugo, Louise et Michel Leiris, Cécile Eluard, Sartre, Simone de Beauvoir, le 16 juin 1944, après la représentation chez les Leiris, quai des Grands-Augustins, du *Désir attrapé par la queue*, divertissement écrit par le peintre en 1941 (Brassaï, 1964, p. 181, fig. 40). Le don à Braque est donc postérieur à la photographie.

C'est peu après, échange de bons procédés, que Braque offrit à Picasso un tableau, que celui-ci choisit dans l'atelier de la rue du Douanier ; il s'agit de *Théière et pommes*, peint en 1942 (Mangin de Romilly, 1960, p. 18). Picasso garda ensuite la toile dans son atelier. A en croire le témoignage de Françoise Gilot, selon l'humeur du peintre et son estime, variable, pour Braque, le tableau était ou non accroché au mur (Gilot-Lake, 1965, pp. 132-135).

Les formats très allongés, particulièrement aimés par Braque, sont fréquents dans ses natures mortes vers 1924-1927, où de rares objets s'étirent et ondoient. *Théière et pommes*, plus tardif, reprend ce type d'organisation horizontale sinueuse. La gamme colorée, verts chauds, bruns, noirs, ocres, est chère au peintre ; ici le délicat rameau qui orne le flanc de la théière introduit un fragile bleu lavande. D'autres natures mortes contemporaines présentent des motifs proches : citons la *Nature morte à la théière noire* (1941-42, coll. part.), *Théière et serviette* (1942, Londres, Matthiesen Gallery) et *Théière et bananes* (1942, Stockholm, coll. part.). Il est très vraisemblable que c'est Braque lui-même qui a peint, de deux tons de brun et de noir, le cadre, à l'origine doré, qui borde la toile.

L'artiste exécuta, en 1946, une lithographie où il reprend la composition de ce tableau, en donnant une nouvelle interprétation colorée (H. 0,295 ; L. 0,65 ; éditions Maeght, 75 épreuves ; exposition «Georges Braque - Œuvre lithographique», Paris, Bibliothèque Nationale, 1960, n° 23).

J.P.C.

Paul Cézanne

Aix-en-Provence, 1839-1906

4 Cinq baigneuses

Toile ; H. 0,45 ; L. 0,55.

Le thème des Baigneuses dans un paysage apparaît très tôt dans l'œuvre de Cézanne pour aboutir à l'un de ses chefs-d'œuvre, *Les Grandes Baigneuses* (1898-1905, Philadelphie, Museum of Art). Parmi les tentatives plus anciennes, L. Venturi a groupé une série d'œuvres, généralement de dimensions modestes, et qu'il date des années 1879-82 ; citons, outre les *Cinq baigneuses* de la donation Picasso (Venturi, 1936, n° 385), *Cinq baigneuses*, très proches des précédentes qui firent partie des collections A. Pellerin puis J.-V. Pellerin (Venturi 382) ; celles de la Barnes Foundation (Venturi 383) ; on peut aussi y joindre deux compositions comportant *Quatre baigneuses* (Venturi 384 et 386) ainsi que le tableau du musée du Petit Palais, *Trois baigneuses* (Venturi 381) qui, il n'est pas indifférent de le noter, fut donné à ce musée par Henri Matisse. Signalons aussi *Quatre baigneuses* (Venturi 547) qui, sans doute un peu plus tardives, reprennent les motifs essentiels des compositions précédentes.

On connaît également une série de croquis, malheureusement sans date précise, études de détail pour les figures (voir Chappuis, 1973, n° 514 et n°s 518 à 523). D. Cooper (1954, pp. 346-347) et L. Gowing (1956, p. 188) ont essayé de préciser la date proposée par L. Venturi en s'appuyant notamment sur des rapports de style avec la fameuse nature morte, *Compotier verre et pommes* (Venturi 341) qui appartint à Gauguin, suggérant respectivement une datation vers 1877 et 1879 ; J. Rewald (communication écrite) préfère celle de 1877-78.

Composition, style, technique indiquent une période transitoire où l'influence impressionniste n'a pas encore tout à fait libéré l'artiste de la technique lourde et empâtée de ses débuts. Le souci de structure impose à la touche une trame régulière mais oblique ce qui confère à la composition un dynamisme particulier ; le rythme assez saccadé qui anime les contours est contrebalancé par la densité des couleurs, bleu, vert, brun, qui donne à ces nus une grande valeur plastique. C'est une œuvre de recherche, aux plans complexes ; Cézanne simplifiera peu à peu les motifs essentiels de ce thème pour aboutir, bien plus tard, à la composition, cadencée, architecturale et lumineuse des *Grandes Baigneuses*.

Cette œuvre connue (elle fut exposée notamment à l'exposition «Hommage à Cézanne», Paris, Orangerie des Tuileries, 1954, n° 44) appartint jadis à Auguste Pellerin. Passée en vente publique à Paris, Galerie Charpentier, le 8 juin 1956 (n° 8 du catalogue) elle quitta la France avant d'être acquise par Picasso.

A.D.

Paul Cézanne

5 La mer à l'Estaque

Toile ; H. 0,73 ; L. 0,92.

Cézanne a souvent représenté l'Estaque, faubourg dans la baie de Marseille où il séjourna dès 1870-71 et surtout, plus tard, entre 1876 et 1884 ; il y revint d'ailleurs ensuite à diverses reprises. Le motif choisi par l'artiste varie suivant les compositions mais on y reconnaît la plupart du temps la haute cheminée d'usine dominant les maisons et la mer.

Non datée, cette œuvre pose un problème de chronologie. G. Rivière (1923, p. 210) propose la date de 1883 ; L. Venturi, (1936, I, p. 53 et n° 425), qui admirait particulièrement ce tableau, celle approximative de 1883-1886, suivi par B. Dorival (1948, pl. 79 et p. 157). D. Cooper (1954, p. 378), par comparaison avec L'Estaque du Jeu de Paume qu'il date de 1878-79, précise que La mer à l'Estaque a dû être peinte entre mai 1883 et janvier 1884. J. Rewald (communication écrite) la met en rapport avec le séjour de l'artiste à l'Estaque en 1878-79, hypothèse la plus convaincante, surtout si l'on compare cette œuvre à L'Estaque du Jeu de Paume.

Parmi la quarantaine de compositions représentant l'Estaque que recense L. Venturi dans son catalogue, il faut en retenir deux, qui présentent de fortes analogies avec le tableau Picasso, celle du Geemente Museum de La Haye (Venturi 427, de format plus réduit) et une composition supprimant les arbres (Venturi 426) mais répétant la disposition des maisons du village.

Souvent reproduite et exposée, La mer à l'Estaque appartint au moins jusqu'à la deuxième guerre mondiale à Paul Cézanne fils (elle figure sous le nom de ce prêteur à la «Biennale de Venise» en 1938, n° 35 et à l'exposition «Cézanne» qui eut lieu au musée de Lyon en 1939, n° 29).

A.D.

Paul Cézanne

6 Château Noir

Toile ; H. 0,74 ; L. 0,94.

Château Noir est le nom d'un domaine proche d'Aix-en-Provence, d'où l'on aperçoit la Montagne Sainte-Victoire et non loin de la fameuse carrière Bibémus, autre site cézannien. Sans doute dès 1887, Cézanne y avait loué une petite pièce ; celle-ci lui servait d'atelier à l'occasion mais il dut l'abandonner en 1902 sans pour autant cesser de peindre dans les alentours immédiats. En effet les œuvres les plus importantes inspirées par ce site se situent entre 1895 et la mort de l'artiste en 1906 (Rewald, 1935, pp. 19-20 et Rewald, 1977, n° 52, repr. pl. 59 et p. 90). Ce paysage peut être daté avec vraisemblance vers 1905. L. Venturi (1936, n° 795) indique 1904-1906 ; c'est donc une des dernières œuvres de l'artiste qui représenta d'ailleurs plusieurs fois ce même motif avec quelques variantes (voir Venturi, 1936, n° 794, 796, 797, 1025, 1034 à 1036) ; l'une de ces versions (Venturi 794, New York, Museum of Modern Art, Don Mme David M. Levy),

extrêmement proche de la nôtre, appartint à Claude Monet.

C'est sans doute le plus parfait des trois Cézanne que Picasso ait possédé (Penrose, 1957, p. 86, repr. fig. 230) ; peut-être le premier acquis par lui : en 1936, Venturi le signale dans la collection du peintre, le précédent propriétaire ayant été le marchand Ambroise Vollard, qui fut aussi le marchand de Picasso.

André Malraux (1974, p. 191), notant l'aspect mat du *Château Noir*, rappelait que «Vollard, fidèle à Cézanne, ne l'avait pas verni». Les œuvres de Cézanne furent sans doute celles auxquelles Picasso attachait le plus d'importance, celles dont il aimait parler (Parmelin, 1974, p. 7) : «Si je connais Cézanne ! Il était mon seul et unique maître ! Vous pensez bien que j'ai regardé ses tableaux... J'ai passé des années à les étudier... Cézanne ! Il était comme notre père à nous tous...» (noté par Brassaï en novembre 1943. Brassaï, 1964, p. 113).

A.D.

Jean-Baptiste-Siméon Chardin (?)

Paris, 1699-1779

7   Table de cuisine et ustensiles avec un carré de mouton

Toile ; H. 0,34 ; L. 0,46.

Il existe de ce tableau une autre version qui, après avoir fait partie de la collection Laperlier (vente 11-13 avril 1867, nº 27), fut vendue pour 28 000 francs avec la collection Léon Michel-Lévy le 17-18 juin 1925, nº 134 avec pl. (Georges Wildenstein, *Chardin*, Paris, 1933, p. 227, nº 947).

La toile de la collection Picasso, qui n'offre que très peu de variantes avec le tableau L. Michel-Lévy dont nous ignorons la localisation actuelle mais qui paraît de qualité bien plus élevée, semble provenir d'une vente anonyme du 26 octobre 1925 (nº 52 ; 2 460 francs ; cf. G. Wildenstein, op. cit., nº 948). Ni signé, ni daté, pas plus que la version Michel-Lévy, le tableau Picasso doit dater des environs de 1740.

L'attribution à Chardin, acceptée par Picasso, l'était également par André Malraux qui, citant ce tableau, écrit (1974, op. cit., p. 22) : « Le seul Chardin que la poussière fasse ressembler à Goya, c'est bien le sien ».

P.R.

Jean-Baptiste Camille Corot

Paris, 1796-1875

8 L'italienne Maria di Sorre assise, la tête levée en l'air

Papier collé sur carton ; H. 0,262 ; L. 0,185 m.
Cachet Vente Corot en bas à droite.

Dès la fin du XVIIIᵉ siècle il était d'usage, dans le milieu des paysagistes romains, d'exécuter des «pochades» à l'huile, selon le terme employé à cette époque. Corot dut recueillir cette tradition dans l'atelier de Michallon car il avait brossé de rapides études d'après nature avant même son séjour dans la Ville éternelle. En Italie, il en a exécuté un grand nombre d'après des paysages et d'après des modèles. Pour cette période (1825-1828) Robaut a catalogué une trentaine d'études de figures, dont celle-ci (nº 64) qui est aussi reproduite dans l'ouvrage de Moreau-Nélaton (1924, fig. 16 et p. 23). Cette œuvre est prestement enlevée, cependant un repentir se distingue à droite : l'artiste a supprimé une partie du long voile qui complète la coiffure, modification qui allège la silhouette de la jeune femme.

Des «pochades» de ce genre sont restées en très grand nombre dans l'atelier de Corot et sont passées en vente après sa mort : sur vingt-huit signalées par Robaut, dix-neuf portent le cachet «Vente Corot». On y voit souvent apparaître une pose, un thème repris par la suite. L'*italienne Maria di Sorre* est une des premières de toute une série de figurines féminines qui se présentent assises, face au spectateur, dans des accoutrements variés, et dont les expressions de physionomie, la pose des bras sur l'ample jupe, sont prétextes à toutes sortes de variations.

Au verso de la peinture, un croquis à l'encre est si sommaire que son sujet est difficile à préciser. M. Serullaz le rapproche de dessins exécutés par Corot en Italie, d'après des œuvres anciennes et il conclut que s'il n'est pas impossible que ce croquis soit de la main du maître, il est difficile de l'affirmer avec certitude (communication orale).

Passée à la deuxième vente de l'atelier du maître (29-39 mai 1875), cette étude a été acquise par un peintre, Gustave Colin (1828-1910). Originaire d'Arras, il était entré en relation avec Corot dès 1847 par l'intermédiaire de Dutilleux (1807-1865), peintre qui se lia intimement avec Corot et attira vers lui un groupe de disciples et d'amis. Par la suite, son gendre, Alfred Robaut, deviendra l'historiographe du maître. La date à laquelle cette étude est entrée dans la collection de Picasso est certainement antérieure à 1942. En effet, Françoise Gilot a vu, vers 1946, six ou sept Corot accrochés dans l'appartement de la rue La Boétie que Picasso n'habitait plus depuis quatre ans.

L'*italienne Maria di Sorre* pouvait lui rappeler un souvenir d'enfance rapporté par A. Vallentin (1957, p. 18). La scène se passe à La Corogne entre 1891 et 1896. Le père de Picasso qui fait pour son fils, avec beaucoup d'adresse et d'ingéniosité, des petits objets, «s'amuse aussi à enjoliver ce qui lui tombe sous la main. Un jour, conte Picasso, il s'empare d'un plâtre qui représentait une Italienne, il enlève au buste les coins de sa coiffe carrée, repeint la tête, l'entoure de draperies, et colle sur les joues des larmes de cristal». Ainsi que le remarque A. Vallentin, le goût de Picasso pour la transformation a probablement été éveillé par l'exemple que lui a donné son père. Même lorsque l'artiste copie une photographie ou une carte postale, il transforme son modèle, ainsi que l'a souligné Penrose (1961) à propos d'un «jeune couple tyrolien» (Zervos, 1949, III, nº 431) en un «splendide dessin au crayon, de grand format, qui n'est pas une copie servile, mais plutôt une étude inspirée, dessinée avec une telle vigueur et une telle fraîcheur que c'est la photographie originale qui semble travestir la réalité». Un des exemples de ce procédé de transposition d'une photographie a pour sujet une figure d'Italienne qui, par son attitude comme par ses vêtements, rappelle étrangement Maria di Sorre. (Zervos, 1949, III, nº 362).

Le souvenir d'enfance narré avec précision, fait exceptionnel, par Picasso à l'un de ses biographes, preuve de l'importance qu'il y attachait, n'est certainement pas étranger au choix qu'il fit de cette étude d'Italienne par Corot.

M.T.F.

Jean-Baptiste Camille Corot

9   M. Edouard Delalain

Toile ; H. 0,28 ; L. 0,24.

Corot n'a pas fait une carrière de portraitiste mais il s'est plu à fixer les traits des membres de sa famille et de ses amis. Ses dons d'observation le servant, il nous a laissé des effigies dont les expressions attirent l'attention par la pénétration psychologique dont elles témoignent.

C'est d'après Robaut (1905, n° 594), dans les années 1845 à 1850, que Corot a peint le portrait de M. Edouard Dalalain. Il connaissait depuis longtemps son modèle qui était le fils de son ancien patron. Les relations du peintre et de cette famille sont à l'honneur du marchand de drap chez lequel Corot «aune» du tissu en 1821. «Les doigts trop familiers déjà avec la palette maculent les étoffes de taches d'huile révélatrices», nous apprend Moreau Nélaton (1924, p. 55). Et tandis que le précédent patron de Corot avait fini par se fâcher, celui-ci l'accueille à son foyer.

Il devait en être récompensé puisque dès 1825 le jeune peintre dessine le portrait de sa femme, puis entre 1845 et 1850 il brosse ceux de son fils, de sa belle-fille et de leurs trois enfants, immortalisant ainsi toute la famille.

Robaut signale que ce portrait «a appartenu à M. Delalain». En 1928, il a été acquis, ainsi que celui de Mme Delalain, par Paul Rosenberg et les deux portraits sont entrés immédiatement chez Picasso ; celui-ci aurait donné de ses propres œuvres en échange. Il en usait souvent ainsi avec son marchand et ami Paul Rosenberg (renseignements communiqués par M. Alexandre Rosenberg).

Dès cette année 1928, le portrait de M. Edouard Delalain a figuré, prêté par Picasso, à une exposition chez Paul Rosenberg *Corot, figures et paysages d'Italie* (n° 26).

M.T.F.

Jean-Baptiste Camille Corot (?)

10   La petite Jeannette

Papier sur toile ; H. 0,30 ; L. 0,27.

Le titre indiqué ici est le nom du modèle qui inspira à Corot une étude peinte vers 1848 (Robaut 459). Mesurant 0,32 en hauteur et 0,24 en largeur, elle est passée à la vente de l'atelier du peintre et est conservée dans une collection privée. Le seul enseignement que nous possédions au sujet de la version que possédait Picasso qui l'attribuait bien à Corot, est une étiquette collée au verso du cadre et portant le nom : Uhde. Or, il est souvent dit que Picasso, lorsqu'il fit, en 1910, le portrait de Uhde, reçut de lui un petit Corot « qui représentait une figure de femme » ; Fernande Olivier (1533, pp. 169 et 179) précise que cette œuvre était accrochée dans l'atelier du boulevard de Clichy. Mais la question est beaucoup moins claire si on se réfère à un texte de Uhde (1928, p. 56). Parlant du grand portrait de femme par le Douanier Rousseau que Picasso s'était procuré en 1907, il écrit :

« il l'avait acheté un jour pour quinze francs au même matelassier chez qui j'avais acquis pour dix francs mon premier Picasso, la petite esquisse d'une tête de jeune fille de Corot, que je lui avais donnée en échange du portrait qu'il avait fait de moi ». Ces lignes peuvent être comprises de deux façons : en échange de son portrait, Uhde a donné soit une « tête de jeune fille » par Corot, soit une interprétation de cette œuvre par Picasso lui-même.

Il est admissible que cette étude sommaire, datant d'un des premiers séjours à Paris de Picasso, ait été donnée par lui à un de ses camarades. Celui-ci l'aurait bradée au père Soulier et Picasso aurait été amusé de la retrouver chez Uhde, bien des années plus tard. Quoiqu'il en soit, il est intéressant de rapprocher de la pose de *« La petite Jeannette »* celle de *« Hollandaise à la coiffe »* peinte en 1905 par Picasso (Zervos, t. I, n° 260).

M.T.F.

Jean-Baptiste Camille Corot (?)

11 Paysage

Toile ; H. 0,22 ; L. 0,30.
Signé en bas à gauche : *COROT*.

Cette œuvre, attribuée à Corot par Picasso, ne semble pas avoir suscité de mentions. On ne peut la rapprocher d'aucun des paysages de Corot catalogués à ce jour.

M.T.F.

Gustave Courbet

Ornans, 1819 - La Tour-de-Peilz (Suisse), 1877

12   Tête de chamois

Toile ; H. 0,37 ; L. 0,46.
Signé en bas, à gauche : *G. Courbet.*

Grand chasseur, Courbet a souvent peint les animaux des forêts ; il ne semble pas qu'il ait pratiqué son sport préféré sur les sommets. A l'époque où il a vécu en Suisse, son état de santé ne lui permettait plus de goûter les joies de la chasse. Et pourtant cette tête de chamois se détachant sur un fond de montagnes date certainement de la fin de la vie du maître. Pour cette composition, il dut se servir comme modèle d'une tête qui avait été naturalisée, procédé qu'il avait déjà utilisé puisque une tête de cerf ayant subi ce même traitement se reconnaît dans plusieurs scènes de chasse.

La présentation du sujet témoigne de qualités certaines mais il n'en est pas de même de l'exécution. Peut-être un des disciples qui l'entouraient et l'aidaient y a-t-il mis la main. Cependant, de cette tête d'animal, André Malraux, qui la juge médiocre, écrit : «l'œil et la tache allongée du pelage qui le continue sont aussi noirs que les cornes irréelles, parentes de celles des taureaux de Picasso» et c'est par cette parenté qu'il explique sa présence dans la collection réunie par le maître (1974, pp. 21-22).

M.T.F.

André Derain

Chatou, 1880 - Garches, 1954

13 La jeune fille

Toile ; H. 0,61 ; L. 0,50.

Daté généralement, et semble-t-il à raison, de 1914 (Henry, 1920, s.p. ; Henry, 1920 [*Cicerone*], p. 329 ; Salmon, 1923, p. 41 ; Sutton, 1959, p. 29), quelquefois de 1913 (Hilaire, 1959, nº 108, p. 194), le tableau de la collection Picasso appartient au moment de l'activité de Derain que l'on appelle encore parfois, avec quelque abus, manière «gothique» ou «byzantine», et que caractériseraient un graphisme appuyé aux courbes insistantes, la prédominance du blanc et du noir, des visages aux expressions dures et fermées : tous traits qui seraient chez le peintre preuve d'un choix délibéré de retour aux expressions des arts «primitifs». Etiquetage hâtif, qui ne rend pas compte de la variété des trouvailles du Derain des années 1913-14 ; schéma qu'Apollinaire, dès 1916, avait dénoncé : «... Derain s'est tourné vers la sobriété et la mesure. De ces efforts sont sortis des ouvrages dont la grandeur confine parfois au caractère religieux et où quelques-uns ont voulu voir, je ne sais pourquoi, des traces d'archaïsme» (préface à l'exposition de la Galerie Paul Guillaume, octobre 1916).

La toile, exposée à Paris en 1955 (nº 134) et à Londres en 1967 (hors catalogue), mentionnée par Malraux en 1974 (p. 15 : «Une tête de Derain ocre et sépia, antérieure à la guerre de 1914»), est une des premières, comme le remarque Denis Sutton qui insiste sur son importance (1959, p. 29), où Derain utilise pour les fonds les frottis gris «davidiens» et découpe des visages «comme taillés dans le bois». Elle peut être rapprochée de deux tableaux de Leningrad, parvenus à l'Ermitage, avec tout un groupe d'admirables Derain des mêmes années, de la collection Stchoukine : l'*Etude pour la jeune fille en noir* (1914, nº 6577) et le *Portrait de la jeune fille en noir* (1914, nº 9125). S'y reconnaissent la même jeune fille, avec sa caractéristique coiffure à macarons, et le même fauteuil au dossier médaillon recouvert d'étoffe rayée. Mais alors que les deux toiles de l'Ermitage montrent le modèle raidi sur un axe vertical, presque hiératique, le visage dur au regard détourné, les mains croisées, isolé de plus devant un fond clair et neutre, dans le tableau de Paris interviennent, rompant les lignes ovales du visage, des épaules, du dossier du fauteuil, les obliques de la tête penchée, du châssis appuyé à gauche, des raies de l'étoffe du siège ; et l'expression doucement interrogative du visage félin, le geste de repli sur soi de la main tenant au châle apportent des nuances tout autres. Tableau plus cézannien peut-être, dans sa construction, et jusque dans le feint inachèvement qui épargne, pour les blancs du châle, la préparation de la toile ; mais d'un cézannisme d'ascète, comme décapé, où serait proscrite toute séduction de palette et de touche.

J.P.C.

Paul Gauguin (?)

Paris, 1848 - Atuana (îles Marquises), 1903

14 Paysage

Toile ; H. 0,65 ; L. 0,50.

Ce paysage a été attribué à Gauguin, non seulement par Picasso mais également par R. Penrose (1957, p. 87, fig. 254), cependant les ouvrages de référence consacrés à l'artiste ne font, semble-t-il, pas état de cette œuvre. Il paraît difficile de trancher de cette attribution. Certains y ont vu un paysage de la Martinique.

A.D.

Louis (?) Le Nain (?)

15 La halte du cavalier

Toile ; H. 0,57 ; L. 0,67.

On connaît deux autres versions de ce tableau : la plus célèbre au Victoria and Albert Museum de Londres (toile ; H. 0,546 m ; L. 0,673 m ; acquis par Alexander Ionides chez Christie's le 27 mai 1882, nº 92 et offert par celui-ci au musée anglais en 1900 ; exposé à la Royal Academy en 1896 nº 88 ; reproduit *in* Paul Jamot, *Les Le Nain*, Paris, 1929, p. 65, et Werner Weisbach, *Französische Malerei des XVII. Jahrhunderts*, 1932, pl. X. Pour de plus amples détails, voir le *Catalogue of Foreign Paintings* du Victoria and Albert Museum (Londres, 1973, pp. 169-170, nº 208), dû à Michael Kauffmann.)

La seconde version était autrefois dans la collection du Colonel Clerc à Paris (toile ; H. 0,56 m ; L. 0,66 m ; exposé en 1925, « Le Paysage français de Poussin à Corot », nº 177 du catalogue, avec planche et vendu à Paris, Galerie Charpentier, le 9 mai 1952, nº 70 avec planche) et est aujourd'hui dans une collection de Limoges.

Le tableau Picasso (qui l'attribuait aux frères Le Nain) apparaît à la première vente Charles Sedelmeyer à Paris les 16-18 mai 1907, nº 222 avec planche. En 1934, il est présenté au Petit Palais à l'exposition « Le Nain » (nº 14 avec pl.).

Il appartient déjà au peintre qui l'aurait acheté à Paul Rosenberg dès 1919. Un de ces trois tableaux est présenté à la vente de la collection de M. de V.(ieux) V.(iller) le 18 février 1788, nº 28. Est-ce le même ou une autre version qui est décrit dans la seconde vente Francillon le 12-16 mai 1829 nº 151 ?

Entre ces trois tableaux peu de variantes. Remarquons toutefois que, sur la version de Londres, la meilleure des trois, de la fumée s'échappe de la cheminée d'une des chaumières de l'arrière-plan et que sur l'exemplaire Clerc, les moutons ont disparu.

Citons, à propos du tableau Picasso, Malraux (1974, op. cit., p. 15) : « Brun aussi, un petit Le Nain superbe : séparée d'un groupe, une paysanne debout, irréelle mais d'un poids de cariatide ».

Ce « poids », cette absence de geste, cette mélancolie grave et rêveuse ne marquera-t-elle pas le Picasso des années 20 ? En 1917, selon Zervos, Picasso copiait la partie gauche de la *Famille de paysans*, dit *Le retour du baptême* que Paul Jamot devait acquérir en 1923 et offrir au Louvre en 1941 (Zervos, 1949, nº 96).

P.R.

Maître du Cortège du Bélier

(Suiveur des frères Le Nain)

16   La procession du bœuf gras, dit aussi la fête du vin

Toile ; H. 1,08 ; L. 1,66.

Tableau célèbre apparu dans une vente de Christie's à Londres en 1907, exposé pas moins de cinq fois ces dernières années («Le Nain», Burlington House, Londres, 1910, n° 18 av. pl. ; «Le Nain», Gal. Louis Sambon, Paris, 1923, n° 9 avec pl. ; «Le Nain», Petit Palais, Paris, 1934, n° 34 ; «Georges de La Tour and the Brothers Le Nain», F. Knoedler, New York, 1936, n° 23 avec pl. ; «Le Pain et le Vin», Gal. Charpentier, Paris, 1954, n° 104) et publié dans toutes les monographies sur Le Nain : de Robert Witt (1910) à Paul Jamot (1929), de Paul Fierens (1933) à George Isarlo (1938), mais tableau mystérieux aussi bien pour son sujet que pour son auteur. Son sujet d'abord : Paul Jamot (1929, pp. 80-88) en donne la description suivante : «Précédés d'un ménétrier bénévole, des vignerons conduisent un taureau couvert d'une housse. Des gentilshommes se mêlent aux paysans. Une main gantée et une main caleuse lèvent d'un même élan des verres pleins de la rouge liqueur. Des feuilles de vigne couronnent une tête d'un parti et une tête de l'autre. Ces paysans et ces messieurs vêtus à la mode 1640 ont l'air de célébrer un rite si antique que leur cortège fait penser aux *suo ve taurilia* des bas-reliefs romains. Le peintre, en effet, a composé son tableau comme une frise décorative. L'attribution aux Le Nain n'est pas douteuse», ajoute Paul Jamot, opinion qui a longtemps prévalu.

On rapproche généralement le tableau Picasso d'une toile d'un format très voisin (H. 1,12 ; L. 1,68), *Le cortège du bélier* aujourd'hui au musée de Philadelphie (Pl. en couleurs in G. Isarlo, *La Renaissance*, 1938, p. 10). Le tableau américain fut vendu dès 1778 (vente Mme de La Haye, 1er décembre, n° 9 ; cf. G. Isarlo, *Revue de l'Art*, décembre 1934, pp. 179-181) avec une attribution à «Le Nain». Grâce à Jean-Pierre Babelon, que nous remercions vivement ici, il est possible d'en retrouver la trace dès le milieu du XVIIIe siècle : il est mentionné dans l'inventaire de Marin de La Haye du 13 octobre 1753, estimé à 280 livres et attribué aux frères Le Nain. Dans l'inventaire de Mme de La Haye du 20 février 1776, il n'est plus estimé que 160 livres et intitulé «Six personnages, inspiré de Le Nain». En dépit de cette tradition fort ancienne, l'érudition la plus récente regroupe autour des toiles de Philadelphie et Picasso, longtemps estimées comme dues à la collaboration de Mathieu

et de Louis Le Nain, un certain nombre de tableaux plus décoratifs que ceux de ces maîtres, plus clairs de coloris et composés en frise, qu'elle donne à un «Maître du cortège du bélier» dont l'identité reste à percer.

Il existe du tableau Picasso une réplique mesurant 111 cm de haut sur 170 cm de large, passée en vente au Palais Galliéra à Paris le 2 juin 1972, n° 97 (avec pl. dans le catalogue sous l'attribution : «atelier des Les *(sic)* Le Nain»). L'auteur de ce dernier tableau a ajouté un personnage à l'avant-plan à gauche.

Le tableau Picasso, acquis en 1923 par Kahnweiler, semble avoir été revendu assez rapidement par celui-ci à Picasso. Malraux (1974, p. 21) nous apprend à son sujet : «Le grand Le Nain. J'en reconnais le bœuf noir dès que Nounours le retourne : il était dans la salle à manger de mon père, à Bois-Dormant. Il appartenait à une belle-tante, qui l'a vendu par mon entremise à Kahnweiler, qui l'a vendu à Picasso. Le monde est petit.»

P.R.

Henri Matisse

Le Cateau, 1869 - Nice, 1954

17 Les Aiguilles vertes et la Croix de Javernaz

Toile sur carton ; H. 0,36 ; L. 0,48.

18 Les Alpes de Savoie

Toile sur carton ; H. 0,36 ; L. 0,48.
Signé en bas à droite : *Henri Matisse*.

Ces deux paysages inédits, appelés à tort *Paysages du Jura* dans la donation Picasso (mentionnés sous ce titre par Malraux, 1974, p. 16), comme l'a bien noté P. Schneider (1974, p. 00), ont été en réalité peints en Suisse près de Villars-sur-Ollon où Matisse, malade, fit un court séjour en 1901. A la suite de plusieurs bronchites contractées en travaillant pour Jambon au décor éphémère de l'exposition universelle du Grand Palais, Matisse, sur les conseils de son médecin, fut emmené par son père à Chézières (canton de Vaud), station climatique de Suisse à l'ouest du lac de Genève ; il en peignit plusieurs fois le site.

Sur le premier tableau, le chalet, qui existe toujours, est aujourd'hui situé en bordure de la route nouvellement construite du col de la Croix, reliant Villars-sur-Ollon avec les Diablerets, à 200 mètres avant le pont du chemin de fer Villars-Bretaye. Au centre, on aperçoit les montagnes neigeuses des Aiguilles vertes et de la Croix de Javernaz.

La seconde peinture a été faite dans les mêmes parages ; le chalet «Les Lutins» est encore là sur l'ancien golf du Villars-Palace ; au premier plan, les montagnes des Alpes de Savoie (précisions aimablement transmises par le Syndic d'Ollon).

On ne connaît que trois autres paysages de la même période : *La route de Chézières* (Barr, 1966, p. 49), peut-être appelée ainsi à tort car un autre tableau pourrait représenter ce site (exposé à Bâle, Kunsthalle, 1931, n° 9 et, à Lucerne, 1949, n° 26 ; reprod. *Cahiers d'art*, 1931, p. 242, fig. 13).

Ces deux tableaux, avec un troisième (appelé à tort *Vallée du Rhône*), ont appartenu à Vollard et ont été exposés par lui en juin 1904 (n°s 33 à 35). Le premier tableau pourrait correspondre à la *Route du Chamossaire* exposé par Matisse à la Société nationale des Beaux-Arts, section mâconnaise, en juillet-août 1903 (n° 244). *Les Aiguilles vertes et la Croix de Javernaz* fut aussi exposé à Mâcon (au revers, étiquette, avec le n° 346, se référant à une exposition non datée dans cette ville).

Les paysages de la collection Picasso ont peut-être appartenu à Vollard et auraient pu faire l'objet d'un échange très ancien avec Picasso dès 1907 au moment où il obtint *Marguerite*. La vue des *Alpes de Savoie* est seule signée. Cette signature diffère de celle qui apparaît sur les trois paysages déjà connus, ayant appartenu à Vollard, tous signés : *H. Matisse*. Mais *Les Alpes de Savoie* auraient pu être signées après coup par Matisse, à l'encre, au moment où, pour se distinguer d'un certain Auguste Matisse, peintre de marines, l'artiste adopta momentanément la signature *Henri-Matisse* qu'il devait abandonner par la suite. Cependant M. Duthuit ne pense pas que la signature des *Alpes de Savoie* soit de la main de Matisse.

Matisse, qui peignait des paysages depuis 1895, en peignit beaucoup entre 1901 et 1904 : on distingue déjà, dans les deux tableaux non terminés de la collection Picasso, cette tendance à la simplification des tons et des formes qui n'est pas sans rappeler Marquet, l'ami le plus intime de Matisse dans l'atelier de Moreau. Barr (1966, p. 51) note «la hardiesse de *La route de Chézières*, proche, à ce titre, des *Trois arbres près de Melun* de 1901 où se révèle la préoccupation de Matisse de simplifier les accidents complexes de la nature dans des formes larges». Ce sont des caractères qui durent intéresser Picasso dans ces études directement prises sur le motif : il les avait accrochées au mur de son appartement de la rue de La Boétie et s'amusa à faire identifier à F. Gilot ces Matisse «première manière» (1965, p. 144). «Picasso et Pignon s'excitaient à propos de ces toiles. Dans chaque touche, ils voyaient déjà quelque chose qui était déjà Matisse. A condition d'être peintre, affirmait Picasso, on voit déjà que tout Matisse est là et où il va aller, quand on le sait, quand on le connaît. Les non-peintres ne regardent que la surface, il leur faut de l'éclat ! Sinon ils ne voient rien.» (Parmelin, 1974, p. 9.)

S.B.

Henri Matisse

19   Bouquet de fleurs dans la chocolatière

Toile ; H. 0,64 ; L. 0,46.
Signé en bas à gauche : *Matisse H*.

Cette nature morte fut exposée par Matisse aux Artistes Indépendants en 1902 (n° 1212) sous le titre erroné *Fleurs dans un vase d'argent*, selon le témoignage de la fiche rédigée par madame Henri Matisse. Elle a été peinte à Paris. Le tableau du Musée d'Art Moderne de New York, *Bouquet sur une table de bambou*, peint à Bohain, a été identifié à tort avec le tableau exposé aux Indépendants sous le numéro 1212 (Barr, 1966, pp. 41, 43, 50, fig. p. 307). Les Matisse ne possédaient pas de vase d'argent (témoignage de M. Duthuit), mais un vase de verre, plusieurs fois représenté par Henri Matisse et qui apparaît précisément dans le tableau du Musée d'Art Moderne de New York.

Matisse s'est servi d'une toile déjà utilisée au verso où la peinture a été effacée par endroits. L'examen au laboratoire confirme que la nature morte du revers a été effacée par l'artiste. La photographie en fluorescence d'ultra violet met bien en évidence le barbouillage superficiel. Cette nature morte reprend le thème de la table servie traité avec prédilection par Matisse dans ces années et sa belle harmonie rouge et orange est encore visible. La disposition des objets très simples qui la composent l'apparente aux natures mortes peintes en Corse et surtout à Toulouse en 1899 ou 1900 dans cette même harmonie colorée. M. Duthuit date de 1896 cette nature morte effacée dont la composition, axée sur les diagonales, est peu fréquente.

S.B.

Henri Matisse

20 Marguerite

Toile ; H. 0,65 ; L. 0,54.
En haut à gauche, l'inscription : *Marguerite*.

Peinte à Collioure en 1907 (Barr, p. 332). Aragon (1971, p. 69) raconte : «J'avais remarqué que sa voix changeait, se faisait autre pour quelqu'un... pour la petite fille en rouge qu'on voit au balcon de *La sieste* dans la chambre de Collioure, qui est de 1906, comme la *Liseuse*, également de 1906 ; sur *La lecture*, tableau peint de la même année et que voilà jeune fille sur cette *Marguerite* de 1908 «en réalité 1907» que je me souviens d'avoir vue chez Picasso rue La Boétie, dix ou douze ans plus tard, me semble-t-il, qui sera la *Jeune fille au chat noir* entre 1910 ou 15. On la retrouve dans bien d'autres œuvres et on la voit grandir dans l'œuvre de son père dont elle fut jusqu'à son mariage un des modèles favoris.»

Barr (1966, p. 332) souligne, à juste titre, la simplicité voulue de la technique, l'absence de modelé, qui donnent à l'ensemble le charme primitif d'une aquarelle enfantine, similarité renforcée par l'inscription en lettres irrégulières et la bande noire d'encadrement. Matisse était alors sous l'influence des artisans de Biskra et des dessins de ses propres enfants, Marguerite et Pierre, qui, tous deux, s'exerçaient à peindre. Matisse donna ce portrait à Picasso en échange d'une *Nature morte avec un bocal vert*. Picasso l'aimait et on voit le *Portrait de Marguerite* apparaître dans les photographies de l'appartement du boulevard de Clichy : «Je pensais alors que c'était un tableau-clé et je le pense encore», déclarait-il en 1962. Ces propos sont rapportés à propos de la publication des photographies, prises en 1959 par David Douglas Duncan, qui représentent Picasso, vu de dos, tenant *Marguerite* devant la grande *Corbeille d'oranges* à Vauvenargues (in Match, n° 1257, 9 juin 1973).

S.B.

Henri Matisse

21 Corbeille d'oranges

Toile ; H. 0,94 ; L. 0,83.
Signé en bas à gauche : *Henri Matisse*.

Nous avons adopté le titre que lui donne M. Duthuit et qui s'inspire des termes mêmes d'une lettre de Matisse de 1912.
La *Corbeille d'Oranges* (dite aussi *Nature morte aux oranges*) (Barr, 1966, p. 389) fut peinte par Matisse pendant son second séjour au Maroc : c'est la plus importante des trois natures mortes de cette période jusqu'ici non représentée, dans les collections publiques françaises. Toujours datée de 1913 elle a été commencée, en fait, l'année précédente. Le tableau est décrit par Matisse dans une lettre de 1912 à M. Stein (coll. Paul Millon, 1941), accompagnée d'un croquis : « C'est une toile d'un mètre sur un mètre. Des oranges dans une corbeille avec quelques feuilles vertes aux oranges. Elle repose sur une table couverte d'une soie blanche avec gros bouquets de fleurs violettes, blanches, jaunes et vertes. La toile est presque terminée. » (Russel 1969, p. 70). Le tableau passa par différentes mains (Cassirer ; Thea Sternheim), avant d'être acheté par Picasso en 1944. Matisse y fait allusion dans une lettre écrite de Vence, en février 1945, à son fils Pierre : « Picasso a acheté une nature morte importante de Tanger qui a appartenu à Mme Sternheim. Il en est très fier et avec ses propres œuvres au Salon d'Automne il a exposé d'autorité cette nature morte. » Picasso était, en effet, fier de posséder ce chef-d'œuvre qu'il conserva toujours avec lui comme le précisa Jacqueline à Malraux (1974, p. 14). Elle fut d'abord accrochée entre Rousseau et Balthus (Malraux, 1974, p. 20) dans l'atelier des Grands-Augustins et Picasso la prêta aux grandes rétrospectives Matisse à Paris (en 1956, n° 32 ; 1970, n° 117), ainsi qu'à Los Angeles, Chicago, Boston en 1956 (n° 33). Brassaï (1964, p. 175) raconte comment Picasso se servit de cette nature morte pour juger un Gréco qu'on lui proposait d'acheter : il demanda alors à Marcel de placer la nature morte aux oranges et aux bananes de Matisse à côté du Gréco, il regarde et compare les deux tableaux.
Picasso : « Décidément, je préfère mon Matisse ! Le sujet ne m'importe guère. Je le juge en tant que morceaux de peinture. Ce Matisse est tout de même autre chose que ce Greco ! » Cet épisode (« un Greco à vendre ») est daté par Brassaï du 16 juin 1944, ce qui indiquerait que la nature morte était déjà en possession de Picasso à cette date. « Matisse, dit Jacqueline, aimait beaucoup sa nature morte. Il a voulu la reprendre au marchand. Elle était vendue. Quand il a appris que c'était Pablo qui l'avait achetée, il a pleuré. » « Souvenir et non information », commente Malraux (1974, p. 15). Matisse a choisi lui-même la *Corbeille d'oranges* pour illustrer le livre que Jean Cassou lui a consacré (1939, planche 7). Jacqueline raconte, aussi, comment Picasso aimait à la contempler : « Nous la regardions. Elle change tout le temps » (1965, p. 14).
« A Mougins, la superbe nature morte aux oranges de Matisse était depuis son retour de l'exposition du Grand Palais posée contre le mur à côté du Quai de la Gare. Jacqueline avait ainsi baptisé un grand divan mou du vestibule situé contre des amoncellements de colis, de livres et de toiles, seul échappé à l'envahissement et sur lequel ils se tenaient souvent. Qui était comme une station au pied de l'escalier chaque fois que Picasso portait ses yeux sur le Matisse, il s'écriait : « C'est magnifique ! » (Parmelin, 1974, pp. 8-9).
Cette œuvre, longuement travaillée par Matisse (ce que les « repentirs », révélés par l'examen au laboratoire, confirment), fut réalisée avec une douloureuse tension, comme le rappelle Marguerite Duthuit, ... que fait oublier l'accord miraculeux des couleurs « qui dialoguent inépuisablement » (Malraux, 1974, p. 14).

S.B.

Henri Matisse

22 Jeune fille assise, robe persane

Toile ; H. 0,43 ; L. 0,56.
Signé et daté en bas à droite : *Henri Matisse 12/42.*

Peint à Nice en 1942, le tableau fut exposé au Salon d'Automne de 1945 sous le titre : *Jeune fille en robe violette sur fond de verdure.* Il a été reproduit dans l'ouvrage publié aux Editions du Chêne sous le titre : *Jeune fille assise, robe persane violette, fauteuil Louis XIII.* Mais, selon M. Duthuit, le fauteuil serait espagnol.

Ce tableau, avec les *Tulipes et huîtres sur fond noir,* fit l'objet d'un échange entre Picasso et Matisse. Picasso donna à la place une nature morte et un portrait de Dora Maar, tous deux de couleurs sombres et d'un esprit plus dramatique.

Ces deux tableaux sont très visibles sur deux photographies d'Hélène Adant représentant l'appartement de Matisse à Cimiez.

F. Gilot rapporte comment, à la même époque, Picasso avait également choisi : «une femme en mauve, assise dans un fauteuil de cuir brun-rouge, sur fond vert... d'une harmonie de couleur parfaite...». Matisse disait que souvent il effaçait le soir, avec du coton et de la térébenthine, tout ce qu'il avait peint pendant la journée s'il n'en était pas vraiment satisfait. Il reprenait le thème le lendemain, sur la toile blanche et de la même manière spontanée (1965, p. 251).

G. Salacrou, qui n'aimait pas cette toile et l'avoua à Picasso devant Lucienne Salacrou et ses amis Privat, Queneau, Sabartès, rapporte une réflexion beaucoup moins louangeuse de Picasso à son sujet (1974, p. 141).

S.B.

Henri Matisse

23   Tulipes et huîtres sur fond noir

Toile ; H. 0,61 ; L. 0,73.
Signé et daté en bas à droite : *2/ 43. Henri Matisse.*

Parfois appelée à tort *Nature morte aux moules*, cette nature morte, peinte à Nice en 1943 et exposée au Salon d'Automne de la même année (n° 848), fut échangée par Matisse avec Picasso (cf. n° 22), quand les deux hommes échangèrent leurs œuvres de nouveau après 1907. Toutefois, ce ne peut être en 1942 comme le dit Barr (1966, p. 257) se référant à une lettre de Matisse datée du 7 juin 1942 à Pierre Matisse, puisque le tableau est daté de 1943. Mais elle fit bien l'objet d'un échange : dans le numéro des *Cahiers d'Art* (1940, 44, p. 144), il est précisé qu'elle appartient à Picasso. A propos de cet échange F. Gilot écrit : «Il avait ainsi acquis une nature morte très typique avec des tulipes blanches et oranges et une assiette d'huîtres sur une table brique contre un fond noir, griffé en diagonale d'un quadrillage blanc... d'une harmonie de couleurs parfaite» (1965, p. 250). Picasso fut sans doute sensible au côté libre et spontané de cette toile, probablement brossée rapidement en quelques séances. Il critiquait, en effet, la méthode de dessiner de Matisse : «Matisse fait un dessin puis il le recopie cinq fois, dix fois, toujours en épurant son trait... il est persuadé que le dernier, le plus dépouillé est le meilleur, le plus pur, le définitif ; or, le plus souvent, c'était le premier... en matière de dessin rien n'est meilleur que le premier jet.» (Brassaï, 1964, p. 71). Mais Picasso a toujours été sensible à la couleur de Matisse : «C'est pour cela que j'aime Matisse, il sait toujours faire un choix intellectuel entre les couleurs. Qu'il soit proche ou non de la nature, il sait toujours remplir complètement une étendue avec un ton, uniquement parce qu'il s'accorde avec les autres couleurs de la toile et non parce qu'il est plus ou moins sensible à la réalité» (Gilot, 1965, p. 255).

S.B.

Joan Miró

Barcelone, 1893

24 Autoportrait

Toile ; H. 0,73 ; L. 0,60.
Signé et daté en haut à gauche : *Miró 1919*.

Exposé au Salon d'Automne de 1920, cet autoportrait, le second dans l'œuvre de l'artiste, a été peint à Barcelone peu avant le départ de Miró, pour Paris, au printemps 1919. Il diffère profondément du premier tableau (New York, coll. Edward A. Bragaline) exécuté deux ans plus tôt, à l'époque où Miró aborde la figure humaine avec une intensité expressive et une vigueur colorée marquée par le fauvisme.

Plus retenue et plus organisée cette œuvre témoigne d'une recherche attentive de la construction des formes. L'expression du visage s'est décantée en quelques signes incisifs qui précisent les traits sans dévoiler la personnalité du modèle. La vaste camisole rouge, costume des pêcheurs du quartier de Santa Maria del mar, est traitée par facettes selon la technique cubiste mais sur la partie gauche du vêtement apparaît un motif qui, tout en suggérant la trame du tissu, apporte un élément décoratif et atténue la rigueur du volume. Ainsi, sans reprendre en 1919 les recherches formelles de Picasso au moment où celui-ci les abandonnaient, Miró n'en retient, selon ses propres termes, qu'«une discipline de travail pour serrer de plus près la forme» (lettre de Miró à Dupin, citée par Dupin, 1961, p. 87).

Ce tableau fut offert à Picasso par l'intermédiaire de Dalmau à l'occasion de la première exposition de Miró à Paris en 1921, Galerie de la Licorne.

C.R.

Joan Miró

25 Portrait d'une danseuse espagnole

Toile ; H. 0,66 ; L. 0,56.
Signé et daté en haut à droite : *Miró 1921.*

C'est 45 rue Blomet, à côté du Bal Nègre, dans l'atelier prêté par Pablo Gargallo, nommé professeur à l'Ecole Supérieure des Beaux-Arts de Barcelone, que Miró peint en 1921 le portrait d'une danseuse espagnole (Miró, 1938, pp. 25-28). Une profonde amitié le lie à Picasso qui l'a accueilli et encouragé fraternellement à son arrivée à Paris en 1919, et à Masson, son voisin d'atelier, autour duquel se réunit «le groupe de la rue Blomet» (Leiris, Prévert, Desnos, Artaud) qui rejoindra le surréalisme de Breton en 1924.

Cependant, Miró reste profondément attaché aux traditions du pays catalan qu'il retrouve chaque été dans son mas de Montroig : à plusieurs reprises en 1921 et 1928, il prend comme sujet la danseuse espagnole. La première en date, achetée par Picasso à Pierre Loeb (lettre de Miró, 11 juillet 1974), a été exécutée d'après un chromo (Dupin, 1961, p. 104).

D'un vérisme plus fort et plus provoquant que l'*Autoportrait*, la *Danseuse espagnole* nous subjugue par la précision violente et appliquée de ses traits, par l'arrangement méthodique de sa coiffure, par l'analyse systématique de ses accroche-cœur et des boules de son collier. Les volumes puissants du visage aux contours métalliques s'ajustent comme les lamelles de fer façonnées par Gargallo en 1918 pour les *Masques de comédie* (Coll. Anguerra-Gargallo) et, peut-être, laissées dans l'atelier parisien à la vue de Miró. L'attitude cambrée de la jeune femme met en valeur la masse rouge de son ample corsage rythmée par les spirales du motif brodé et les failles de l'épaule, elle se dresse comme les pinacles de Gaudí dominant le parc Guell.

«La conjonction Miró-Picasso, tempéraments différents profondément liés par leur réalisme atavique, scelle un des hauts moments du mythe de l'Espagne» (J. Leymarie).

C.R.

Amedeo Modigliani

Livourne, 1884 - Paris, 1920

26 Jeune fille brune, assise

Toile ; H. 0,92 ; L. 0,60.
Signé en haut à droite : *Modigliani*.

C'est en 1906 que Modigliani, arrivé récemment d'Italie, fait la connaissance de Picasso : il s'installe à Montmartre, rue Caulaincourt, tout près du célèbre Bateau-Lavoir où était l'atelier de Picasso. Presque tous les biographes de Modigliani rappellent l'admiration du jeune peintre pour Picasso ; on connaît en effet trois portraits de ce dernier par Modigliani datés de 1915 : deux dessins et une peinture (Werner, 1968, p. 97 et Cachin-Ceroni, 1972, n° 86). Modigliani refusa de s'engager dans le mouvement cubiste et l'amitié entre les deux artistes ne fut jamais très profonde ; Picasso disait : «Vous pouvez trouver Utrillo ivre n'importe où... mais Modigliani est toujours saoul juste en face de la Rotonde ou du Dôme» (Werner, 1968, p. 97).

Nous sommes très peu documentés sur le tableau lui-même et ignorons comment Picasso l'a acquis : achat, échange ou don ? Il est peut-être même entré dans la collection avant la mort de Modigliani survenue en 1920. Quoiqu'il en soit nous le suivons à travers les différentes demeures de Picasso : dans l'atelier des Grands-Augustins (Penrose, 1957, p. 263) où nous le voyons en compagnie du *Portrait de Marguerite* (n° 20 du catalogue) et d'un portrait par Picasso lui-même daté de 1931, intitulé *La Lampe* (Zervos, 1955, VII, n° 347) ; nous le retrouvons aussi à Boisgeloup, au milieu des sculptures de l'atelier. Nous ne savons pas qui est cette jeune fille brune à la tête penchée à gauche et aux mains croisées.

Ce tableau est généralement daté de l'année 1918 (Lantheman, 1970, n° 267 et Cachin-Ceroni, 1972, n° 234), où, après un séjour dans le midi, Modigliani usa d'une palette éclaircie et d'une pâte moins épaisse, spécialement dans les fonds. On peut notamment le rapprocher du *Portrait de Dédie Hayden* (Paris, Musée National d'Art Moderne ; Cachin-Ceroni, n° 236) et de toute une série d'œuvres de la même année où les fonds très allégés sont traités en touches assez larges souvent dans les tons bleu-gris. Notre jeune fille présente cependant un visage et un cou d'une facture très lisse et unie qui contraste avec le reste du tableau.

I.L.

Pierre-Auguste Renoir

Limoges, 1841 - Cagnes-sur-Mer, 1919

27 Mythologie, personnages de tragédie antique

Toile ; H. 0,41 ; L. 0,24.
Timbre de l'atelier en bas à droite : *Renoir*.

Il s'agit là d'une esquisse pour un projet de décoration par Renoir
sur le thème d'Œdipe (Atelier Renoir, 1931, I, n° 115, planche 41).
Cette décoration, qui ne fut jamais exécutée, était destinée à la
maison de campagne de Gallimard, ami de Renoir et propriétaire
du Théâtre des Variétés (voir John Maxon, catalogue de l'exposition «Renoir», Chicago, Art Institute, 1973, n° 66-67) ; Renoir
travailla vraisemblablement à ce projet vers 1895. Des études
plus poussées nous permettent d'imaginer ce qu'aurait été l'effet
d'ensemble des panneaux insérés dans un décor de style antique
interprété par le XIXᵉ siècle, avec demi-colonnes cannelées, guirlandes et bas-reliefs peints en grisaille. A plusieurs reprises des
amateurs demandèrent à Renoir de décorer une pièce de leur
résidence mais il semble que la série d'*Œdipe* soit la seule pour
laquelle l'artiste ait essayé d'imaginer un ensemble structuré.

A.D.

Pierre-Auguste Renoir

28 Baigneuse assise dans un paysage dite Eurydice

Toile ; H. 1,16 ; L. 0,89.
Signé en bas à droite : *Renoir.*

En 1887 Renoir achève et date les *Grandes Baigneuses* du musée de Philadelphie, chef-d'œuvre et aboutissement de la brève période dite « ingresque » de l'artiste. En effet, dès les années suivantes, Renoir revient à une conception plus lyrique et plus colorée de la peinture qui se développe en particulier dans une splendide série de nus ; les *Grandes Baigneuses* du musée du Jeu de Paume, achevées en 1918-19, en sont l'expression ultime. La *Baigneuse* Picasso (Daulte, 1971, n° 392) s'inscrit dans cette évolution. Elle n'est pas datée mais il semble, de par son style, qu'il faille la situer vers les années 1895-1900. Elle diffère à la fois des nus « impressionnistes » antérieurs à 1880 et des nus « ingresques », ce qui nous laisse penser que la date de 1882 proposée par F. Daulte est trop précoce. La tonalité générale du tableau est moins éclatante que celle de la plupart des œuvres datant des années 1890 ou postérieures ; cette particularité nous rend peut-être plus sensibles à l'étonnante plasticité de ce nu ; notons que cette toile fut exposée du vivant de l'artiste à l'« Exposition Triennale » qui eut lieu à Paris, en 1916, au Jeu de Paume, n° 151, à côté de deux sculptures de Renoir. Les références à l'antiquité classique étaient chères à Renoir ; les jeunes femmes qui, au second plan, ornent un terme de guirlandes apparaissent déjà dans une œuvre de 1879 *(Fête de Pan)* mais aussi dans l'*Ode aux fleurs* (musée du Jeu de Paume) postérieure à 1900 ; quant au titre plus explicite d'*Eurydice*, c'est celui qui lui est donné par le catalogue de l'exposition précédemment cité ; ces réminiscences mythologiques se font plus fréquentes après 1900, pour devenir un des thèmes principaux de la dernière période de l'artiste. Prêtée par A. Vollard à l'« Exposition d'Art Français du XIXᵉ siècle » qui eut lieu à Paris, Galerie Paul Rosenberg, en 1917 (n° 65 du catalogue), cette œuvre ne semble pas avoir été exposée depuis.

Hélène Parmelin (1974, p. 8, fig. 4 et 5) a souligné l'analogie entre cette œuvre et un pastel par Picasso daté de 1921, illustrant ainsi le jeu des rapports entre Picasso et sa « collection ».

A.D.

Pierre-Auguste Renoir

29 Paysage méditerranéen, Cagnes

Toile ; H. 0,17 ; L. 0,18.
Initiale *R* en bas à droite.

Installé dans le midi, à Cagnes, dès 1903, Renoir exécuta un
certain nombre d'études de paysages, rapides pochades vivement
enlevées, de petit format pour la plupart ; il arrivait que l'artiste
en peignit plusieurs sur la même toile ; c'est le cas de cette
esquisse qui, d'après la reproduction de l'album de Vollard paru
en 1918 (t. II, pl. 123), était groupée sur une même toile avec
une répétition du même motif légèrement différent et d'un détail ;
elle fut ultérieurement découpée et séparée des deux autres
comme bien d'autres esquisses de ce genre. Difficile à dater
avec précision cette œuvre fut sans doute peinte entre 1905 et
1910. C'est à cette époque, en 1907, que Renoir acquit le
domaine des Collettes qu'il habita jusqu'à la fin de sa vie.

A.D.

Pierre-Auguste Renoir

30   Portrait d'enfant

Toile ; H. 0,41 ; L. 0,33.
Signé en bas à droite : *Renoir.*

Ce portrait d'une fillette inconnue, de mise en page très simple, est apparenté de par sa technique à d'autres portraits exécutés vers 1910-1912. C'est cette date approximative qu'il nous semble convenable de donner à cette œuvre (cf. Vollard, 1918, I, n° 494).

A.D.

Pierre-Auguste Renoir

31 Portrait de modèle en buste

Toile ; H. 0,55 ; L. 0,46.
Signé et daté en bas à gauche : *Renoir 1916*.

Ce *Portrait de modèle*, daté de 1916, est une version simplifiée
du thème des *Baigneuses*. Il est parfaitement caractéristique du
style des cinq dernières années de la vie du peintre. Le souci
évident de traduire les volumes de la figure évoque pour nous
les sculptures de l'artiste exécutées à la même époque ; pourtant
c'est sans doute la richesse de la palette qui retient davantage
notre attention (cf. Vollard, 1918, I, n° 194 avec la date 1915).

A.D.

Pierre-Auguste Renoir

32   Nature morte aux poissons

Toile ; H. 0,40 ; L. 0,50.
Signé et daté en bas à droite : *Renoir 1916.*

La nature morte apparaît comme un thème mineur mais constant dans l'œuvre de Renoir. Au cours de sa dernière période il multiplia les esquisses de fleurs, de fruits, de poissons, d'objets de céramique, souvent à peine ébauchées, simples exercices picturaux en quelque sorte. Quelques-unes, comme cette *Nature morte aux poissons*, témoignent cependant d'un souci de composition et d'expression qui leur donnent une place particulière dans l'œuvre de l'artiste. La vigueur, presque la violence d'exécution, l'intensité des tons sont particulièrement frappantes dans cette œuvre tardive (cf. Vollard, 1918, II, pl. 68).

A.D.

Henri Rousseau dit « le Douanier Rousseau »

Laval, 1844 - Paris, 1910

33 Portrait de femme

Toile ; H. 1,60 ; L. 1,05.

Habituellement considéré comme paysagiste, Rousseau a cependant peint de nombreux portraits, se prenant pour modèle à différentes reprises, fixant les traits de ses proches et exécutant des commandes. Certaines de ses œuvres ont été exposées aux Indépendants, mais il est difficile d'identifier les modèles : le plus souvent ils ne sont désignés que par des initiales. Parfois Rousseau recourt à un titre allusif comme *La Muse inspirant le Poète* (Marie Laurencin et Guillaume Apollinaire). Deux portraits féminins, que l'on peut dater de 1895 environ — celui de la collection Picasso et celui conservé au musée du Jeu de Paume (donation de la Baronne Gourgaud) — sont d'une telle importance que Rousseau les a certainement présentés aux Indépendants. Ils ont des points communs : le modèle, vu de face, en pied, vêtu d'une robe noire est placé dans un paysage. Le portrait conservé au Jeu de Paume, qui mesure 1,96 m en hauteur et 1,15 m de largeur, a été considéré par Henri Certigny (1961, p. 102 et 1968, p. 34) comme étant celui de la première femme du peintre, morte en 1888, tandis que pour Dora Vallier (1970, nº 101) c'est le résultat d'une commande. Il en est de même pour le portrait de la collection Picasso : alors que Certigny (1961, p. 171) s'appuyant sur l'identification donnée par Maurice Raynal (1914, p. 69) propose d'y voir Yadwigha, la Polonaise qui a inspiré au Douanier l'une de ses toiles les plus poétiques, et la dernière qu'il a exposée : *Le Rêve*, Dora Vallier (1970, nº 85), elle, estime que « c'était vraisemblablement une commande importante » réalisée d'après une photographie, d'où la position de la main tenant une branche, qui devait s'appuyer sur un guéridon et le rideau, élément de décor en usage chez les photographes. N'en serait-il pas de même du paysage sur lequel se détache le personnage ? Il pourrait être la reproduction d'une toile de fond, ce qui expliquerait son étrangeté. Fernande Olivier raconte (1933, p. 83) qu'elle y avait vu un paysage montagneux de la Suisse et que posant une question à ce sujet à Rousseau, elle s'entendit répondre : « Voyons, voyons, ne reconnaissez-vous

pas les fortifications de Paris ? J'ai fait cela quand j'étais gabelou et que j'habitais à la porte de ... ». « J'ai oublié laquelle », ajoute la narratrice. Peu importe, d'ailleurs, car nous savons que les explications données par le Douanier sont souvent fantaisistes. De plus, une telle transformation de la banlieue serait tout à fait exceptionnelle dans son œuvre alors que le reflet de documents — gravures ou photographies — s'y trouve à maintes reprises. D'ailleurs n'a-t-il pas écrit lui-même cette « Inscription pour un portrait dans un paysage » (qui pourrait convenir au portrait de la collection Gourgaud) :

> « Avec le portrait de Mme Isard
> Fait sur la petite photographie
> On la voit l'année du mariage
> Et l'ombrelle donnée par son gai mari ».

Quoi qu'il en soit, le grand portrait de la collection Picasso ne fut gardé ni par Rousseau, ni par son modèle. Dès 1908, il se trouvait chez un brocanteur où Picasso le remarqua et l'acheta pour la modique somme de 5 francs, a-t-il précisé à Florent Fels (1925, p. 144). Quelques semaines plus tard fut organisé le banquet resté fameux par l'atmosphère que créèrent Picasso et ses amis entourant un Douanier Rousseau absolument ravi. La fête se déroula au Bateau-Lavoir, dans l'atelier où figurait en bonne place la récente acquisition de l'amphitryon. Elle est à peu près sûrement la plus ancienne toile de sa collection. Souvent nommée par ceux qui ont fréquenté le maître, elle figure dans son portrait par Brassaï en 1932. Celui-ci, sollicité de photographier Picasso, avait remarqué cette toile « posée à même le plancher » dans l'appartement de la rue La Boétie et il avait voulu que cette grande figure « qui présida au banquet offert en l'honneur du Douanier Rousseau au Bateau-Lavoir, fut présente dans ce portrait » (Brassaï 1964, p. 34). En 1961, Penrose (p. 155) mentionne que Picasso garda ce tableau « durant des années chez lui et dit encore que c'est un de ceux qu'il préfère ».

M.T.F.

Henri Rousseau dit « le Douanier Rousseau »

34   Portrait de l'artiste à la lampe

Toile ; H. 0,23 ; L. 0,19.

Exposé avec son pendant (n° 35) à Berlin en 1913 par le groupe du Blaue Reiter. Grâce à une des toiles les plus connues de Rousseau, *Moi-même, portrait-paysage* (Prague, Narodni Galerie) nous avons un autoportrait dont la date, 1890, est certaine. D'une part elle est indiquée par le peintre à la suite de sa signature et, d'autre part, c'est celle de l'année de l'exposition du tableau aux Indépendants. Les mêmes traits de physionomie se retrouvent dans le petit portrait de la collection Picasso, mais nettement plus marqués, aussi la date de 1886 qui a été donnée à celui-ci (Certigny, 1961, p. 96) ne paraît-elle guère plausible. Dora Vallier (1970, n° 140 A) le situe en 1902 ou 1903, ce qui est admissible, d'autant plus que cette hypothèse s'applique aussi fort bien au portrait qui lui fait pendant et qui représente la femme de l'artiste. Longtemps conservées par le peintre Robert Delaunay, ces deux toiles sont citées dès 1911 par Uhde (1911, p. 46) : « Il y a deux petits portraits qui représentent Rousseau lui-même et sa femme ; ils ne sont plus jeunes ni l'un ni l'autre ; sans ornement, ni symbole les têtes se détachent sur le fond, mais une lampe, discrètement posée près d'eux, éveille une impression de foyer calme et de bonheur sûr beaucoup plus suggestive que ne l'aurait pu faire un intérieur peint dans tous ses détails ». Un témoignage de Penrose qui date de 1961 (p. 156) nous éclaire sur l'importance attachée par Picasso à l'une de ces toiles. « Il garde toujours auprès de lui un petit autoportrait du Douanier ». Visible sur une photographie de Edward Quinn prise à la Galloise (à Vallauris) il est accroché au mur à côté de son pendant. Dans le voisinage immédiat du ménage Rousseau, Picasso a disposé une de ses œuvres — *Mère et enfant* — et une reproduction d'un portrait féminin de Cranach (Penrose et Quinn, 1965). Une véritable parenté, due, me semble-t-il, à une certaine rigidité, s'établit curieusement entre tous ces portraits.

M.T.F.

Henri Rousseau dit « le Douanier Rousseau »

35   Portrait de la seconde femme de Rousseau

Toile ; H. 0,23 ; L. 0,19.

Ce portrait fait pendant à celui de Rousseau, mais l'identité du modèle donne lieu à hésitation. Certigny (1961, p. 96) pense qu'il s'agit de la première épouse du peintre, Clémence, morte en 1888, tandis que Dora Vallier (1970, nº 140 B) opte pour Joséphine Noury, devenue Mme Henri Rousseau en 1899. Dans une toile à sujet allégorique : *Le Présent et le passé* (Merion, Barnes Foundation) le Douanier s'est représenté avec sa seconde épouse à son côté. La ressemblance entre ces personnages et ceux des deux petits portraits de la collection Picasso s'impose absolument. Mais alors que la physionomie du peintre évolue peu d'un portrait à l'autre, celle de sa compagne, elle, est très différente. Respirant la santé dans la grande toile de la collection Barnes, elle a ici une expression souffreteuse. Aussi peut-on penser que ce portrait, résultat d'une observation attentive, date des premiers mois de 1903, le modèle étant mort le 14 mars de cette année.

C'est chez Paul Rosenberg, qui les avait acquis en 1938, que Picasso a choisi les portraits du ménage Rousseau (renseignement communiqué par M. Alexandre Rosenberg).

M.T.F.

Henri Rousseau dit « le Douanier Rousseau »

36 Les représentants des puissances étrangères venant saluer la République en signe de paix

Toile ; H. 1,30 ; L. 1,61.
Signé et daté en bas à droite : *Henri J. Rousseau 1907.*

«Dans aucune comédie, dans aucun cirque, je n'ai entendu rire comme devant le tableau de Rousseau *Les Souverains*». Tel est le souvenir que garde Uhde (1911, p. 22) de l'exposition en 1907, de cette toile aux Indépendants. Or dans une conversation avec Arsène Alexandre en 1910, Rousseau évoque le succès qu'il remporta avec cette œuvre : «... Je ne pouvais plus sortir de l'exposition tant il y avait de gens qui venaient me serrer la main, qui m'entouraient, qui me félicitaient. Et savez-vous pourquoi ? C'est parce que c'était juste au moment de la Conférence de La Haye, et moi, je n'y avais même pas pensé, mais cela se rencontrait comme cela» (in *Comoedia*, cité par D. Vallier, 1970, p. 11). Ces souvenirs d'un ami de l'artiste et de l'artiste lui-même ne nous éclairent pas sur la genèse du sujet. Ainsi que l'a remarqué Dora Vallier (1970, n° 194), la justesse de la perspective prouve que Rousseau a suivi un modèle ; probablement l'a-t-il trouvé dans la photographie d'une réception officielle. Celle représentée ici peut, comme le suggère Certigny (1961, p. 268), avoir été inventée par le Douanier pour attirer l'attention du Président de la République, Armand Fallières. Plus de vingt ans auparavant, alors qu'il était ministre de l'Instruction Publique, Rousseau lui avait été recommandé. L'artiste pouvait espérer l'atteindre une seconde fois en lui donnant un rôle glorieux. Une chose est certaine : il comptait vendre sa composition à l'Etat, c'est ce qu'il a expliqué à Vollard dans une lettre de septembre 1909 (publiée par G. Viatte, 1962, p. 333). Proposant deux grandes toiles au célèbre marchand, *Le combat du tigre et du buffle américain* (Cleveland, Museum of Arts) et *Les souverains étrangers venant*

saluer la République, il précise que la première a été refusée par le client qui l'avait commandée ; quant à la seconde, «Je pensais, — écrit-il — que l'Etat me l'achèterait». Puis, le 14 décembre 1909, Vollard lui signe un reçu de «10 francs pour un tableau et 200 francs pour *Le combat du tigre et du buffle*». Faut-il en conclure que la très modeste somme de 10 francs a été le prix donné par Vollard de l'œuvre qui nous occupe ? D'après Dora Vallier c'est directement de chez ce marchand qu'elle est passée dans la collection Picasso et très probablement vers 1910, date à laquelle le peintre brossa le célèbre portrait de Vollard.

Picasso «regardait Rousseau avec une admiration attendrie» a écrit Hélène Parmelin qui donne une importance toute spéciale à cette toile dans son étude de la collection du maître (1974). Picasso «riait en décrivant *Les représentants des grandes puissances étrangères venant saluer la République en signe de paix*. Il riait avec amitié. Et il est vrai que la toile est étonnante, drôle, pleine d'un naïf sentiment du monde devant lequel on peut s'attendrir et s'exclamer. Mais en même temps, elle est Rousseau, c'est-à-dire l'expression en peinture d'une âme de foi et d'imagination.» Hélène Parmelin l'a contemplée en compagnie du maître : «Il semblait d'un côté jouir avec amusement de la prouesse du Douanier. Et regarder le Douanier lui-même, assis sous son dais au Bateau-Lavoir le jour de la célèbre grande fête où les peintres et les poètes jouèrent, entre le vin qui coulait trop et le repas qui ne venait pas, la grande comédie de la «Gloire à Rousseau».

M.T.F.

Kees Van Dongen

Delfsthaven, 1877 - Monaco, 1968

37 La vigne

Toile ; H. 0,46 ; L. 0,55.
Signé en haut à droite : *V.D.*
Au dos de la toile, inscription au pinceau : *la vigne*.
Sur le châssis, étiquette déchirée de la Galerie Druet et inscription
au pinceau : *05 Kees Van Dongen*.

«Des études de ciels fulgurants, les touches d'essuie pinceau juxtaposées en retombées de feux d'artifice, les terrains de moisson ou de verdures très bas laissant presque toute la toile pour les nuées rugueuses et papillottantes...» (cité par G. Bazin, 1933, p. 125).

Cette description suggestive, extraite d'un compte rendu anonyme d'une exposition de dix-neuf toiles de Van Dongen à la Galerie Druet en octobre 1905, permet de situer *La vigne* de la collection Picasso parmi les études d'atmosphère peintes, lors d'un séjour de l'artiste à Fleury-en-Bière, l'été précédent (*La saison s'avance, Moisson* et *Nuages*, Neuilly, coll. Pierre Wicart).

Curieux amalgamme des ciels immenses de sa Hollande natale et de la lumière d'août en Beauce, ce paysage reflète toute la fougue et les hardiesses techniques de l'artiste : les tourbillons de nuages, étalés en taches blanches directement sorties du tube, se détachent sur des traînées d'outremer tandis qu'un épais escargot de rose violacé, sans doute la masse courbée du vigneron, est posé sur les touches vertes de la vigne, serrées au bas du tableau.

Arrivé à Paris en 1897, Van Dongen s'installe au Bateau-Lavoir à la fin de l'année 1905. Une profonde amitié lie Picasso, Fernande Olivier et les Van Dongen. La petite Dolly Van Dongen sautait sur les genoux de Picasso qu'elle appelait «Tablo»; ils échangeaient des cadeaux : Van Dongen a gardé son portrait-charge par Picasso, un portrait de Fernande et un *Ecuyer à cheval* de l'époque rose (Chaumeil, 1967, p. 95) ; cette année-là, Picasso a-t-il reçu *La vigne* de Van Dongen ?

C.R.

Edouard Vuillard

Cuiseaux (Saône-et-Loire), 1868 - La Baule, 1940

38 La berceuse

Carton mince marouflé sur un panneau de bois parqueté.
H. 0,28 ; L. 0,49.
Timbre de l'atelier en bas à droite (Lugt 2497 a).

Ce charmant tableau est tantôt intitulé *La berceuse*, tantôt *L'enfant au lit* (Mercanton, 1949, repr. en couleurs, pl. 6 ; daté vers 1896). En effet, si la femme âgée de profil qui veille paraît bien être Mme Vuillard, mère de l'artiste (ce qui nous a obligeamment été confirmé par M. Antoine Salomon), le personnage dissimulé sous les couvertures est difficilement identifiable. La spontanéité de l'expression tout empreinte de sympathie pour le sujet, la franchise des contrastes, l'utilisation habile d'un format inusité font de cette œuvre un excellent exemple de l'art de Vuillard.

Une photographie de David Douglas Duncan, plusieurs fois reproduite (in *Match*, n° 1257, 9 juin 1973 ; Parmelin, 1974, p. 6), montre Picasso examinant ce tableau, à Vauvenargues, en 1959. Sans doute ne l'avait-il acquis que tardivement, après la mort de Vuillard, puisque l'œuvre porte le timbre de l'atelier. Peut-être faut-il rapprocher de ce panneau «nabi» les premières œuvres peintes par Picasso à son arrivée à Paris.

A.D.

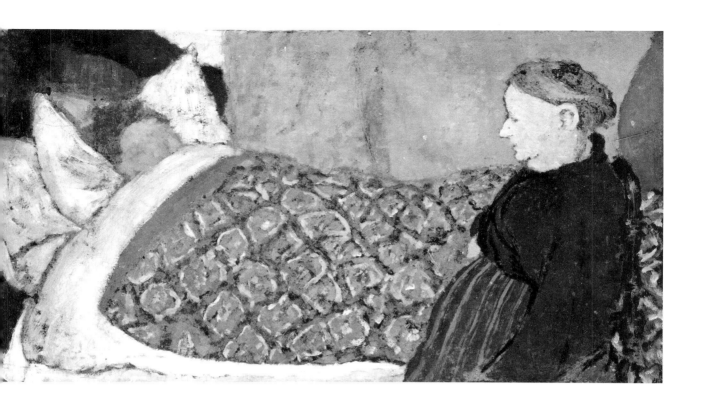

Ouvrages cités en abrégé

Aragon 1971 : Louis Aragon, *Henri Matisse, roman*, Paris, 1971, 2 vol.

Atelier Renoir 1931 : *l'Atelier de Renoir*, avant-propos de A. André (vol. 1) et de M. Elder (vol. 2), Paris, 1931.

Barr 1966 : A.H. Barr, *Matisse, his art and his public*, The Museum of Modern Art, New York, 1966.

Bazin 1933 : Germain Bazin, « Van Dongen » in *Amour de l'Art*, 1933.

Bernier 1956 : Georges Bernier, « Balthus » in *l'Œil* n° 15, mars 1956.

Bonnefoy 1959 : Yves Bonnefoy, *L'improbable*, Paris, 1959.

Brassaï 1964 : Brassaï, *Conversations avec Picasso*, Paris, 1964.

Cachin - Ceroni 1972 : Françoise Cachin et Ambrogio Ceroni, *Tout l'œuvre peint de Modigliani*, Paris, 1972.

Cabanne 1975 : Pierre Cabanne, *Le Siècle de Picasso*, Paris, 1975.

Cassou 1939 : Jean Cassou, *Matisse*, Couleur des Maîtres, Paris, édition Bräun, 1943.

Certigny 1961 : Henri Certigny, *La vérité sur le Douanier Rousseau*, Paris, 1961.

Certigny 1968 : Henri Certigny, « Aspects inconnus du Douanier Rousseau de 1878 à 1900 » in *La Galerie des Arts*, octobre 1968, n° 57.

Chappuis 1973 : Adrien Chappuis, *The Drawings of Paul Cézanne*, New York Graphic Society, Greenwich, Conn. 1973, 2 vol.

Chaumeil 1967 : Louis Chaumeil, *Van Dongen*, Genève, 1967.

Cooper 1954 : Douglas Cooper, « Two Cézanne exhibitions » in *Burlington Magazine*, vol. XCVI, 620 (novembre 1954), et 621 (décembre 1954).

Daulte 1971 : François Daulte, *Auguste Renoir, catalogue raisonné de l'œuvre peint, I, Figures (1860-1890)*, Lausanne, Durand-Ruel, 1971.

Dorival 1948 : Bernard Dorival, *Cézanne*, Paris, 1948.

Dupin 1961 : Jacques Dupin, *Joan Miró*, Paris, 1961.

Fels 1925 : Florent Fels, *Propos d'artistes*, 1925.

Gilot-Lake 1965 : Françoise Gilot et Carlton Lake, *Vivre avec Picasso*, Paris, 1965.

Gowing 1956 : Laurence Gowing, « The development of Cézanne » in *Burlington Magazine*, vol. XCVIII, 639 (juin 1956).

Henry 1920 : Daniel Henry (D.H. Kahnweiler), *A. Derain*, Leipzig, 1920.

Henry 1920 *(Cicerone)* : Daniel Henry (D.H. Kahnweiler), « *André Derain* », in *Cicerone*, XII, 1920.

Hilaire 1959 : Georges Hilaire, *Derain*, Genève, 1959.

Lantheman 1970 : J. Lantheman, *Modigliani, catalogue raisonné*, Barcelone, 1970.

Leymarie 1974 : Jean Leymarie, préface de l'exposition *Miró*, Paris, 1974.

Malraux 1974 : André Malraux, *La tête d'obsidienne*, Paris, 1974.

Mangin de Romilly 1960 : Nicole Mangin de Romilly, *Catalogue de l'œuvre de Georges Braque, 1942-47*, Paris, 1960 (éditions Maeght).

Mercanton 1949 : Jacques Mercanton, *Vuillard et le goût du bonheur*, Paris, 1949.

Miró 1938 : Joan Miró, « Le rêve d'un grand atelier » in *XXe siècle*, n° 2, mai-juin 1938.

Moreau-Nélaton 1924 : Moreau-Nélaton, *Corot raconté par lui-même*, tome I, Paris, 1924.

Olivier 1933 : Fernande Olivier, *Picasso et ses amis*, Paris, 1933.

Parmelin 1974 : Hélène Parmelin, « Picasso ou le collectionneur qui n'en est pas un » in *l'Œil*, septembre 1974.

Penrose 1957 : Roland Penrose, *Portrait of Picasso*, New York, 1957.

Penrose 1961 : Roland Penrose, *La vie et l'œuvre de Picasso*, Paris, 1961.

Penrose 1971 : Roland Penrose, *Portrait of Picasso*, New York, 1971.

Penrose-Quinn 1965 : Roland Penrose et Edward Quinn, *Picasso à l'œuvre*, Zurich, 1965.

Raynal : Maurice Raynal, le « banquet Rousseau » in *Les Soirées de Paris*, 15 janvier 1914.

Rewald 1935 : John Rewald et Léo Marschutz, « Plastique et réalité, Cézanne au Château Noir » in *Amour de l'Art*, XVI n° 1, janvier 1935.

Rewald 1977 : John Rewald in catalogue de l'exposition *Cézanne - The late work*, New York, The Museum of Modern Art, Houston, Museum of Fine Arts, 1977-1978.

Rivière 1923 : Georges Rivière, *Le maître Paul Cézanne*, Paris, 1923.

Robaut 1905 : Alfred Robaut, *L'œuvre de Corot*, tome II, Paris, 1905.

Expositions citées en abrégé

Russel 1969 : John Russel, The World of Matisse in *Time and Life*, 1969.

Salacrou 1974 : G. Salacrou, *Dans la salle des pas perdus, c'était écrit*, Paris, 1974, 2 vol.

Salmon 1923, André Salmon, *A. Derain*, Paris, 1923.

Schneider 1974 : P. Schneider, « La collection Picasso, quelques points d'interrogation », in *L'Express*, 1er avril 1974.

Sutton 1959 : Denis Sutton, *André Derain*, Londres, 1959.

Uhde 1911 : Wilhelm Uhde, *Henri Rousseau*, Paris, 1911.

Uhde 1928 : Wilhelm Uhde, *Picasso et la tradition française*, Paris, 1928.

Vallentin 1957 : Antonina Vallentin, *Pablo Picasso*, Paris, 1957.

Vallier 1970 : Dora Vallier, *Tout l'œuvre peint d'Henri Rousseau*, Paris, 1970.

Venturi 1936 : Lionello Venturi, *P. Cézanne, son art, son œuvre*, 2 vol., Paris, 1936.

Viatte 1962 : Germain Viatte, « Lettres Inédites à Ambroise Vollard » in *Arts de France*, 1962, II.

Vollard 1918 : Ambroise Vollard, *Tableaux, pastels et dessins de P.A. Renoir*, 2 vol. Paris, 1918, rééd. 1954.

Werner 1968 : Alfred Werner, *Modigliani*, Genève, 1968.

Zervos : Christian Zervos, *Pablo Picasso*, tome I, Paris, s.d. ou 1957.

Zervos 1949 : Christian Zervos, *Pablo Picasso*, tome III, Paris, 1949.

Zervos 1954 : Christian Zervos, *Pablo Picasso*, supplément aux tomes I à V, Paris, 1954.

Zervos 1955 : Christian Zervos, *Pablo Picasso*, tome VII, Paris, 1955.

Zervos 1962 : Christian Zervos, *Pablo Picasso*, tome XIII, Paris, 1962.

Paris, 1902 : *Salon des Artistes Indépendants*, Paris, 1902.

Paris, 1904 : A. Vollard, *Matisse*, Paris, 1er-18 juin 1904.

Paris, 1910 : Bernheim Jeune, *Henri Matisse*, Paris, février 1910.

Berlin 1913, Der Sturm, Berlin, 20 septembre-1er décembre 1913.

Paris, 1945 : *Salon d'Automne*, Paris, 1945.

New York, 1949 : Pierre Matisse Gallery, *Balthus*, New York, 1949, préface d'Albert Camus.

Paris, 1950 : Maison de la pensée française, *Henri Matisse...* Paris, 5 juillet-24 septembre 1950, préface de L. Aragon.

Paris, 1955 : Bibliothèque Nationale, *Derain,* Paris, 1955.

New York, 1956 : New York, M.O.M.A., *Balthus*, 1956. Catalogue par James Thrall Soby.

Paris, 1956 : Musée d'Art Moderne, *Henri Matisse*, Paris, 1956.

Londres, 1967 : Londres, Royal Academy, *Derain*, 1967.

Léningrad, 1969 : Ermitage, *Matisse*, Léningrad, 1969.

Paris, 1970 : Grand Palais, *Henri Matisse*, Paris, 1970.

Dessins et monotypes

Paul Cézanne
Aix-en-Provence, 1839-1906

39   Paysage : la cathédrale d'Aix
Aquarelle sur traits à la mine de plomb ; H. 0,320 ; L. 0,480.

Il semble que l'on puisse identifier ce paysage (non catalogué par Venturi) comme une *Vue de la cathédrale d'Aix prise du jardin des Lauves*, par comparaison avec l'aquarelle du même motif conservée dans la collection Alex L. Hillman à New York (« Cézanne, Paintings, Watercolors and Drawings », Chicago-New York, 1952, nº 122, repr.) et le dater des années 1904-1906.

Certaines notations par plans géométrisés et l'harmonie des formes dans l'espace, attestent bien ici le « pré-cubisme » de Cézanne. Les paysages exécutés par Picasso à Horta de Ebro vers 1908 semblent dans le prolongement de cette vision qui permit également à Georges Braque de réaliser ses premiers paysages cubistes, à l'Estaque, à la fin de 1907 et en 1908.

G.M. et M.S.

René-Hilaire Degas

Paris, 1834-1917

40 Pianiste et chanteur

Vers 1877.
Monotype à l'encre noire avec des touches d'aquarelle et de pastel ; H. 0,160 ; L. 0,120. Non signé.

Les onze monotypes — «dessins faits à l'encre grasse et imprimés», si l'on veut conserver le terme employé par Degas — légués aux musées nationaux proviennent des collections soit de Gustave Pellet soit d'Ambroise Vollard qui les avaient acquis directement à la vente de l'Atelier Degas (Paris, 22-23 novembre 1918 ; cf. les annotations manuscrites sur l'exemplaire du catalogue de la vente conservé à la Bibliothèque du Musée du Louvre). Ils appartinrent ensuite à Maurice Exteens, puis à Paul Brame. Des études approfondies leur ont été consacrées, en particulier dans les ouvrages de Denis Rouart (*E. Degas. Monotypes*, Paris, 1948), d'Eugenia Parry Janis (*Degas Monotypes*, Harvard University, 1968) et de Jean Adhémar et Françoise Cachin (*Degas, Gravures et Monotypes*, Paris, 1973). La plupart de ces monotypes, enfin, a figuré dans certaines des expositions Degas organisées à Paris (1924 et 1937 ; cf. nos 41 à 43, 45, 46, 48), à Copenhague (1948 ; cf. nos 40 à 43, 45, 49), à Berne (1951 ; cf. nos 41, 42, 48, 49), à Amsterdam (1952 ; cf. nos 45, 48, 49), et à Londres (1958 ; cf. nos 43 à 49). Il nous paraît significatif que Picasso ait désiré posséder ces monotypes qui représentent des scènes de la prostitution, des maisons closes, ou s'inspirent du roman de Guy de Maupassant, paru en 1881 : *La Maison Tellier*. En effet, les recherches stylistiques et techniques, l'audace de la mise en page dont témoignent ces œuvres, la démarche intellectuelle pour traiter des sujets licencieux sans pour autant tomber dans le piège de l'érotisme facile et vulgaire, tout ceci montre avec évidence certains rapports de conception, d'interprétation et de recherches communs à Degas et à Picasso. Et les études de ce dernier inspirées des *Métamorphoses* d'Ovide ou certaines scènes érotiques dénotent une fantaisie, une imagination et un génie qui auraient sûrement séduit Degas, au même titre que Picasso a pu être lui-même captivé par les exceptionnelles créations de Degas. Catalogué par Lemoisne (II, n° 437 repr.) sous le titre *Pianiste et chanteur*, ce monotype est généralement situé vers 1877. Eugenia Parry Janis (1968, «checklist» n° 35 repr.) a proposé d'identifier la femme assise devant le piano avec la chanteuse Mlle Dumay que l'on trouve dans plusieurs autres monotypes de Degas (Janis, 1968, nos 36 à 41 repr.).

M.S.

René-Hilaire Degas

41 Dans l'omnibus (omnibus de voyage)

Monotype à l'encre noire sur papier blanc ; H. 0,280 ; L. 0,297. Non signé.

L'exécution de ce monotype peut être située vers 1877-1878 (cf. Janis, 1968, n° 236 repr. et Adhémar-Cachin, 1973, n° 33, fig. 33).

G.M.

René-Hilaire Degas

42   La fête de la patronne

Monotype à l'encre noire rehaussé de pastel ; H. 0,266 ; L. 0,296. Non signé.

De ce monotype des années 1878-1879 (Lemoisne, II, n° 549 repr.) un autre, de plus petit format, reprend avec un cadrage différent et quelques variantes, le détail de la partie centrale (Janis, 1968, «checklist» n° 88 repr.). Il existe également un monotype qui représente l'ensemble de la scène, mais en sens inverse et sans la seconde femme au bouquet (Janis, «checklist» n° 90 avec localisation inconnue).

G.M.

René-Hilaire Degas

43 **Repos sur le lit**

Monotype à l'encre noire sur papier de Chine ; H. 0,121 ; L. 0,164.
Non signé. Marque de l'atelier au verso en bas à gauche (Lugt, 657).

Deux monotypes dans le même esprit sont reproduits par Eugenia Parry Janis (1968, «checklist» nᵒˢ 92 et 93, localisation inconnue). Il s'agit d'œuvres exécutées, comme les précédentes, vers 1878-1879. Celui exposé ici (Janis, 1968, «checklist» nᵒ 91 repr. et Adhémar-Cachin, 1973, nᵒ 101, fig. 101), figure parmi les illustrations du roman de Guy de Maupassant, *La Maison Tellier*, dans l'édition publiée en 1934 par Vollard (Paris, 1934, repr. face p. 48).

G.M.

René-Hilaire Degas

44 L'attente

(Seconde version)
Monotype à l'encre noire sur papier de Chine. De l'encre noire a été rajoutée avant l'impression de ce second tirage. H. 0,216 ; L. 0,164.
Non signé. Marque de l'atelier, au verso, en bas, à gauche (Lugt 657).

Ce monotype et les trois suivants, exécutés vers 1879, ont fait partie de la série des seize pièces sur le thème des *Maisons closes*, achetées en lot par Ambroise Vollard qui possédait d'autres monotypes sur ce sujet venant de la même vente comme le lot n° 220 (14 pièces) ou encore le n° 222 qui appartint également à Picasso (il est exposé ici sous le n° 46). On le retrouve parmi les illustrations du livre de Pierre Louÿs, *Mimes des courtisanes*, publié en 1935 par Vollard (cf. Janis, 1968, «checklist», n° 65 repr. et Adhémar-Cachin, 1973, n° 86, fig. 86).

Il existe une première version de ce monotype (Janis, 1968, «checklist» n° 64 repr.) dont la localisation est actuellement inconnue.

G.M.

René-Hilaire Degas

45   Repos

Monotype à l'encre noire sur papier de Chine ; H. 0,164 ; L. 0,216.
Non signé. Marque de l'atelier au verso en bas à gauche (Lugt 657).

Ce monotype, généralement situé vers 1879, fait partie des illustrations du roman de Guy de Maupassant, *La Maison Tellier*,
dans l'édition publiée par Vollard en 1934 (repr. face p. 58 ;
cf. Janis, 1968, «checklist» n° 83 repr. et Adhémar-Cachin, 1973,
n° 113, fig. 113).

G.M.

René-Hilaire Degas

46   Attente

Monotype à l'encre noire sur papier de Chine ; H. 0,121 ; L. 0,164.
Non signé. Marque de l'atelier au verso en bas à gauche (Lugt 657).

Ce monotype, que l'on peut dater vers 1879, fait partie des illustrations du livre de Pierre Louÿs, *Mimes des courtisanes*, dans l'édition publiée par Vollard en 1935 (cf. Janis, 1968, « checklist » nº 67 repr. et Adhémar-Cachin, 1973, nº 94, fig. 94).

A.S.

René-Hilaire Degas

47 Le client

Monotype à l'encre noire sur papier blanc. H. 0,220 ; L. 0,164.
Non signé. Marque de l'atelier au verso, en bas à gauche (Lugt 657).

Situé, comme le précédent, vers 1879, ce monotype fait partie des illustrations du roman de Guy de Maupassant, *La Maison Tellier*, dans l'édition publiée par Vollard en 1934 (repr. face p. 22 ; cf. Janis, 1968, «checklist» n° 85 repr. et Adhémar-Cachin, 1973, n° 95, fig. 95).

A.S.

René-Hilaire Degas

48   Au salon

Monotype à l'encre noire sur épais papier blanc ; H. 0,164 ; L. 0,21.
Non signé. Marque de l'atelier au verso, en bas à gauche (Lugt 657).

Degas précède ici Toulouse-Lautrec qui traita volontiers les
thèmes de la prostitution à partir de 1892. En 1894, Lautrec
prit même pension dans une «maison» de la rue des Moulins.
Il peignit alors sa grande composition qui résume toutes ses
recherches : *Au Salon de la rue des Moulins* (1894, musée d'Albi),
avant de publier en 1896 sa suite de lithographies intitulée *Elles*.
    Le monotype de Degas (daté, rappelons-le, vers 1879) a
servi pour l'illustration du livre de Guy de Maupassant, *La Maison
Tellier* (Paris, Vollard, 1934, repr. face p. 32 ; cf. Janis, 1968,
n° 82 repr. et Adhémar-Cachin, 1973, n° 87, fig. 87).

G.M.

René-Hilaire Degas

49 Trois filles assises de dos

Monotype à l'encre noire sur papier blanc rehaussé de pastel ;
H. 0,160 ; L. 0,220. Non signé.

Exécuté vers 1879, ce monotype, que Lemoisne a reproduit dans
son ouvrage (II, nº 548), comme celui intitulé *Attente* (nº 46),
figure parmi les illustrations du livre de Pierre Louÿs, *Mimes des
courtisanes* (Paris, Vollard, 1935, repr. face p. 60 ; cf. Janis,
1968, «checklist» nº 63 repr. avec localisation inconnue).

A.S.

René-Hilaire Degas

50 La bonne

Monotype à l'encre noire ; H. 0,087 ; L. 0,079.

L'une des trois impressions connues de ce même motif un peu plus tardif que les autres monotypes de la collection Picasso (vers 1880) ; les deux autres sont conservées dans les collections privées américaines (Janis, 1968, n°s 57 et 58, repr. «checklist» n°s 251 et 252 repr.). Celle de Pablo Picasso semble être un état intermédiaire entre les deux autres (cf. Adhémar-Cachin, 1973, n° 37, fig. 37).

G.M.

Pierre-Auguste Renoir

Limoges, 1841 - Cagnes, 1919

51   La coiffure ou la toilette de la baigneuse

Sanguine et craie blanche sur toile ; H. 1,450 ; L. 1,035.

Cet important dessin, très poussé et très dense, est une étude pour la peinture de dimensions voisines (H. 1,45 ; L. 0,95) signée en bas à droite, de la collection de MM. Bernheim jeune et exécutée vers 1900-1901, selon une date traditionnellement admise. Signalons toutefois que Charles Sterling avait proposé de la situer plus tôt, vers 1895-1897 («Renoir», Paris, Orangerie, 1933, n° 104, repr. *Album* pl. L P 1), tandis qu'A. Vollard (1918, I, n° 71, pl. 18) y voyait une œuvre des années 1905. L'intérêt de Picasso pour un tel dessin ne saurait étonner lorsque l'on songe à ses grandes études de nus féminins des années 1920 ou même à certaines autres œuvres postérieures.

A.S.

Ouvrages cités en abrégé

Adhémar-Cachin 1973 : J. Adhémar et Françoise Cachin, *Degas, Gravures et Monotypes*, Paris, 1973.

Janis 1968 : Eugenia Parry Janis, *Degas Monotypes*, Harvard University, 1968.

Lemoisne : Paul-André Lemoisne, *Degas et son œuvre*, Paris, 1947-1949, 4 vol.

Lugt : Frits Lugt, *Les Marques de collections de dessins et d'estampes*, Amsterdam, 1921 ; supplément, La Haye, 1956.

Rouart 1948 : Denis Rouart, *E. Degas - Monotypes*, Paris, 1948.

Vente atelier Degas 1918 : Catalogue des eaux-fortes, vernis mous, aquatintes, lithographies et monotypes par Edgar Degas, et provenant de son atelier, Galerie Manzi Joyant, Paris, 22-23 novembre 1918.

Expositions citées en abrégé

1924, Paris : *Degas... peintures, pastels et dessins, sculptures, eaux-fortes, lithographies, monotypes*, Paris, Galerie Georges Petit, 1924.

1937, Paris : *Degas*, Paris, Orangerie, 1937.

1948, Copenhague : *Edgar Degas 1834-1917, skulpturer og monotypier tegninger og malerier*, Copenhague, Ny Carlsberg Glyptotek, 1948.

1951, Berne : *Degas*, Berne, Kunstmuseum, 1951-1952.

1952, Amsterdam : *Edgar Degas*, Amsterdam, Stedelijk Museum, 1952.

1958, Londres : *Degas, Monotypes, Drawings, Pastels, Bronzes*, Londres, Lefevre Gallery, 1958.

Maquette :   Impression :
Bruno Pfäffli   Imprimerie Moderne du Lion, Paris